L'UNITÉ CULTURELLE
DE
L'AFRIQUE NOIRE

OUVRAGES DU MÊME AUTEUR

Sciences humaines

Nations nègres et Culture, Paris, Présence Africaine, 1954. Réédition en livre de poche en 1979.

L'Afrique Noire précoloniale, Paris, Présence Africaine, 1960.

Les Fondements économiques et culturels d'un État fédéral d'Afrique Noire, Paris, Présence Africaine, 1960. Édition revue et corrigée en 1974.

Antériorité des civilisations nègres : Mythe ou vérité historique ?, Paris, Présence Africaine, 1967.

The African Origin of Civilization : Myth or Reality, New York — Westport, Lawrence Hill & Company, 1974.

L'Antiquité africaine par l'image, Dakar, IFAN-NEA, numéro spécial de *Notes Africaines*, 1975.

Parenté génétique de l'égyptien pharaonique et des langues négro-africaines, Dakar, IFAN-NEA, 1977.

Civilisation ou Barbarie — Anthropologie sans complaisance, Paris, Présence Africaine, 1981.

Sciences physiques

Le Laboratoire du radiocarbone de l'IFAN, Dakar, IFAN, 1968.

Physique nucléaire et chronologie absolue, Dakar, IFAN-NEA, 1974.

CHEIKH ANTA DIOP

L'UNITÉ CULTURELLE
DE
L'AFRIQUE NOIRE

DOMAINES DU PATRIARCAT
ET DU MATRIARCAT
DANS L'ANTIQUITÉ CLASSIQUE

Seconde édition

PRÉSENCE AFRICAINE
25 bis, rue des Écoles - 75005 Paris

INTRODUCTION

J'ai voulu dégager la profonde unité culturelle restée vivace sous des apparences trompeuses d'hétérogénéité.

Celui que le hasard a amené à vivre profondément la réalité du pays serait inexcusable de ne pas tenter de fournir l'intelligence du fait sociologique africain.

Dans la mesure où les faits sociologiques sont motivés dès l'origine au lieu d'être gratuits, il suffit de tenir le bout du fil conducteur pour sortir du labyrinthe.

A ce point de vue, ce travail représente un effort de rationalisation.

Il est évident qu'un chercheur africain est plus privilégié que les autres et, partant, n'a aucun mérite particulier à dégager les lois sociologiques qui semblent être à la base de la réalité sociale qu'il vit.

Du reste, si de nombreux chercheurs ne nous avaient pas précédé, nous n'atteindrions peut-être aucun prétendu résultat aujourd'hui.

Nous témoignons donc toute notre reconnaissance à tous les savants dont les travaux nous ont servi.

Je me dois d'évoquer ici la mémoire de feu mon Professeur Marcel Griaule qui jusqu'à deux semaines de sa mort n'a pas cessé de prêter la plus grande attention à mes recherches. Je témoigne également à M. Gaston Bachelard toute ma reconnaissance. J'exprime aussi toute ma gratitude d'élève à mes Professeurs André Aymard et Leroi-Gourhan.

En revenant sur le sujet de ce travail, j'indique les faits qui sont de nature à déceler les démarches de mon esprit.

J'ai essayé de partir des conditions matérielles, pour expliquer tous les traits culturels communs aux Africains, depuis la vie domestique jusqu'à celle de la nation, en passant par la superstructure idéologique, les succès, les échecs et régressions techniques.

J'ai été donc amené à analyser la structure de la famille

africaine et aryenne et à tenter de démontrer que la base matriarcale sur laquelle repose la première n'est point universelle malgré les apparences.

J'ai abordé la notion d'état, de royauté, la morale, la philosophie, la religion et l'art par conséquent, la littérature et l'esthétique.

Dans chacun de ces domaines si variés, j'ai essayé de dégager le dénominateur commun de la culture africaine par opposition à la culture nordique aryenne.

Si j'ai choisi l'Europe comme zone d'opposition culturelle, c'est qu'en plus des arguments d'ordre géographique, la documentation provenant de la Méditerranée septentrionale est plus abondante à l'heure actuelle.

Si j'étendais mon étude comparée, au-delà de l'Inde, à la Chine, je risquerais d'affirmer des choses dont je ne serais pas tellement convaincu, faute de documents.

On se rend compte qu'un tel travail qui se veut démonstratif ne peut pas éviter d'apporter et d'aligner les preuves à l'appui au lieu d'y renvoyer d'une façon plus ou moins cavalière.

Le lecteur aurait le droit de douter, il pourrait, en arrivant au dernier mot, être envahi d'un sentiment de scepticisme, avoir l'impression qu'il vient de lire un roman.

Ceci nous a obligé à reproduire les documents chaque fois que nous l'avons jugé nécessaire.

Evidemment je n'ai pas été victime d'un conformisme intellectuel. Si je n'avais pas cité des auteurs comme Lenormant qui fait figure d'auteur ancien, je n'aurais pas pu mettre en lumière la stratification en castes des sociétés babyloniennes, indiennes et sabéennes.

Puisse ce travail contribuer à renforcer le sentiment des liens qui ont toujours uni les Africains d'un bout à l'autre du continent, et démontrer ainsi notre unité culturelle organique.

AVANT-PROPOS

DE LA PREMIÈRE ÉDITION (1959)

Les intellectuels doivent étudier le passé non pour s'y complaire, mais pour y puiser des leçons ou s'en écarter en connaissance de cause si cela est nécessaire. Seule une véritable connaissance du passé peut entretenir dans la conscience le sentiment d'une continuité historique, indispensable à la consolidation d'un état multi-national.

La psychologie classique plaide en faveur d'une nature humaine essentiellement universelle. C'est parce qu'elle souhaite le succès de l'humanisme. Pour que ce dernier soit possible, il faut que l'homme ne soit par nature imperméable à aucune manifestation de son semblable. Il faut que sa nature, sa conscience, son esprit soient aptes à assimiler par éducation tout ce qui leur est étranger au départ.

Mais cela ne veut pas dire que la conscience humaine est modifiée dès l'origine par les expériences particulières réalisées dans des sociétés qui se sont développées séparément. En ce sens il existait à l'origine, je veux dire avant le contact suivi des peuples et des nations, avant l'ère des influences réciproques, des différences non essentielles, mais relatives entre les peuples. Elles tenaient au climat et aux conditions particulières de vie. Les peuples qui ont longtemps vécu dans leur berceau d'origine ont été façonnés d'une manière durable par leur milieu. Il est possible de remonter jusqu'à ce moule primitif en sachant identifier les influences étrangères qui se sont superposées. Il n'est pas indifférent pour un peuple de se livrer à une telle investigation, à une pareille reconnaissance de soi ; car, ce faisant, le peuple en question s'aperçoit de ce qui est solide et valable dans ses propres structures culturelles et sociales, dans sa pensée en général ; il s'aperçoit aussi de ce qu'il y a de faible dans celles-ci et qui par conséquent n'a pas résisté au temps. Il découvre l'ampleur réelle de ses emprunts, il peut maintenant se définir de façon positive à partir de critères indigènes non imaginés, mais réels. Il a une nouvelle conscience de ses valeurs et peut définir maintenant sa mission culturelle, non passionnément, mais d'une façon objective ; car il voit mieux les valeurs culturelles qu'il est le plus apte, compte tenu de son état d'évolution, à développer et à apporter aux autres peuples.

On ne saurait développer prématurément les idées d'avant-garde. Il n'est que de se référer à la préface de « NATIONS NÈGRES ET CULTURE », publié en 1953-1954. Depuis septembre 1946, j'avais familiarisé dans des conférences répétées les étudiants africains avec les idées qui y sont développées. Jusqu'à ces deux dernières années, non seulement les hommes politiques africains n'acceptaient pas ces idées mais certains d'entre eux même essayèrent de les critiquer sur le plan purement doctrinal.

Tous ceux-là mêmes qui, par la plume et par la parole avaient voulu démontrer que l'indépendance nationale est une phase historiquement dépassée dans l'évolution des peuples, et qui ne pouvaient s'élever à aucune forme de fédération africaine indépendante, à la notion d'un État africain multi-national, ce sont tous ceux-là qui développent aujourd'hui subrepticement les idées contenues dans la préface de NATIONS NÈGRES ET CULTURE. Leurs plates-formes politiques actuelles apparaissent ainsi comme une simple copie de cette préface, lorsqu'elles ne sont pas encore en-deçà des idées qui y sont développées.

CHAPITRE PREMIER

Historique du Matriarcat

EXPOSÉ DES THÈSES DE J.-J. BACHOFEN, DE MORGAN,
DE F. ENGELS

CRITIQUE DE CES THÈSES

Ce chapitre est consacré à l'exposé succinct des thèses relatives au règne du matriarcat considéré comme une étape générale de l'évolution de l'humanité. Le premier historien du matriarcat est J.-J. Bachofen qui publia en 1861 « *Le droit de la Mère* » (Das Mutterrecht). En 1871 un chercheur américain Morgan apporta une confirmation des vues de Bachofen sur l'évolution des premières sociétés : « *Systems of consanguinity and affinity* ». Enfin en 1884 Frédéric Engels relate les points de vue de Bachofen et de Morgan, s'appuie sur leurs découvertes comme sur des matériaux dégagés avec certitude pour mieux affirmer et démontrer l'historicité de la famille : « *Origine de la famille, de la propriété privée et de l'Etat* ».

THÈSE   L'exposé de cette thèse est tiré essentiellement de
DE   l'ouvrage qu'Adrien Turel a consacré à son auteur :
BACHOFEN « *Du règne de la mère au patriarcat* ». Il est, à ma
          connaissance, le seul qui existe sur le sujet en français.

Bachofen considère que l'humanité a d'abord connu une époque de barbarie et de promiscuité aphroditique telle que la filiation ne pouvait être comptée qu'en lignée utérine, toute filiation paternelle étant incertaine. Le mariage n'existait pas.

Une seconde époque, dite gynécocratique, succède à la première comme sa conséquence logique. Elle est caractérisée par le mariage et l'hégémonie de la femme ; on continue à compter la filiation en lignée utérine comme pendant la période précédente. C'est la véritable époque du matriarcat selon la conception bachofenienne. L'Amazonisme est également caractéristique de cette époque.

Enfin la troisième étape se distingue des autres par une nouvelle forme du mariage sous l'hégémonie de l'homme, par un impérialisme masculin : c'est le règne du Patriarcat.

Le patriarcat est supérieur au matriarcat : il est avant tout spiritualité, lumière, raison, finesse. Il est symbolisé par le soleil, les hauteurs célestes où règne une sorte de spiritualité éthérée. Par contre le matriarcat est lié aux profondeurs caverneuses de la terre, à la nuit, à la lune, à la matière, à la « *gauche* » qui appartient « *à la féminité passive par opposition à la droite liée à l'activité masculine* ».

Bachofen tire son principal argument de l'analyse de *l'Orestie* d'Eschyle qu'il considère comme le tableau de la lutte entre le droit maternel et le droit paternel. A l'époque héroïque, les Grecs étaient régis par la gynécocratie ; celle-ci s'altéra peu à peu et, n'étant plus adaptée aux circonstances, elle devait être éliminée avec son cortège de vieilles divinités terriennes : les Euménides ; elles feront place aux jeunes divinités célestes du patriarcat : Apollon et Athéna, la fille sans mère. Le thème de la pièce est le suivant : Agamemnon, généralissime des Grecs, revient de la guerre de Troie et trouve sa femme avec un amant, Egisthe. Clytemnestre se débarrasse de son mari par un meurtre. Oreste, fils d'Agamemnon, venge son père en tuant sa mère ; il est alors poursuivi par les divinités protectrices du droit maternel, les Erinnyes — ou Euménides, ou Furies —. Pour elles le meurtre le plus grave que l'on puisse commettre, le seul qui soit inexpiable, c'est celui d'une mère.

Dans *les Choéphores* les Euménides s'expriment ainsi :

LE CHŒUR. — *Un Dieu Prophète t'a ordonné d'être parricide ?*
ORESTE. — *Oui, et, jusqu'ici, ma cause se soutient.*
LE CHŒUR. — *Bientôt, condamné par l'arrêt, tu changeras de langage.*
ORESTE. — *Je suis tranquille : du fond de son tombeau, mon père sera mon défenseur.*
LE CHŒUR. — *Assassin d'une mère, tu comptes sur les morts !*
ORESTE. — *Elle s'était souillée de deux crimes.*
LE CHŒUR. — *Comment ? Prouve-le devant les juges.*
ORESTE. — *Elle a tué et son époux et mon père.*
LE CHŒUR. — *Sa mort a tout expié ; et toi, tu vis !*

ORESTE. — *Quand elle vivait, que ne l'avez-vous poursuivie ?*
LE CHŒUR. — *Celui qu'elle avait tué n'était pas de son sang.*
ORESTE. — *Et moi, suis-je donc du sang de ma mère ?*
LE CHŒUR. — *Et de quoi t'a-t-elle donc nourri dans son sein ?*
scélérat, tu renies le sang maternel, le sang le plus cher.

(Euménides, vers 565, ss.)

Le cas est d'autant plus significatif que c'est Apollon qui, selon la volonté de Zeus, a ordonné le crime à Oreste : aussi prend-il sa défense. Athéna préside le tribunal qui doit juger Oreste. Voici le plaidoyer d'Apollon avant le vote des Aréopages :

APOLLON. — *Ecoutez ce que je vais dire, et reconnaissez-en la vérité. La mère est, non la créatrice de ce que l'on appelle son enfant, mais la nourrice du germe versé dans son sein. C'est l'homme qui crée : la femme, comme un dépositaire étranger, reçoit le fruit, et, quand il plaît aux dieux, le conserve. La preuve de ce que j'avance est qu'on peut devenir père sans le concours d'une mère ; témoin, ici, la fille du Dieu de l'Olympe, qui n'a point été conçue dans les ténèbres du sein maternel : quelle déesse eût produit un rejeton plus parfait ?*

(Euménides, vers 627, ss.)

Après le Plaidoyer d'Apollon, le contraste entre les deux systèmes, leur caractère irréductible est suffisamment mis en évidence. Les Aréopages votent : il y a ballottage, c'est-à-dire que les deux partis ont recueilli le même nombre de voix ; mais Athéna qui préside et qui n'a pas encore pris part au vote donne son bulletin à Oreste et le fait ainsi acquitter du meurtre de sa mère. Ce geste consacrait le triomphe du nouveau régime ; Athéna s'en explique ainsi :

ATHÉNA. — *C'est à moi de porter le dernier suffrage ; je le donne à Oreste. Je n'ai point de mère dont j'ai reçu la naissance ; et, si je fuis l'hymen, dans tout le reste je reconnais la supériorité du sexe viril. Je suis toute pour la cause d'un père, et je ne vengerai point par préférence la mort d'une femme, qui tua son époux et son maître. Si les suffrages sont égaux, Oreste est absous. Renversez les urnes, vous, à qui ce soin est confié.*

(Euménides, vers 604, ss.)

Pour Bachofen l'ubiquité du matriarcat est indéniable ; il n'est pas la marque distinctive de tel ou tel peuple, mais a régi, à un moment donné, l'organisation sociale de tous les peuples de la terre : d'où les nombreuses traces relevées dans la littérature classique de l'Antiquité.

Il y eut donc un passage universel du matriarcat au patriarcat, ce qui n'implique pas que ce fut à la même époque pour tous les peuples. Mais, selon la conception évolutionniste de l'auteur, il s'agit incontestablement du passage d'un état inférieur à un état supérieur, d'une véritable ascension spirituelle de l'humanité prise dans son ensemble.

THÈSE DE MORGAN   Par des voies différentes Morgan aboutit à la même conclusion que Bachofen en ce qui concerne le matriarcat et la filiation utérine. Il est parti du système de parenté en vigueur chez les Indiens Iroquois d'Amérique (Etat de New-York) pour reconstituer les formes primitives de la famille humaine. Il bâtit ainsi une théorie dont il se servira pour expliquer les points obscurs de l'organisation familiale et sociale de l'Antiquité classique (*genos,* phratries, tribus, etc...). Sa théorie entièrement exposée par Engels *(op. cit.)* est la suivante :

« Morgan, qui a passé sa vie en grande partie parmi les Iroquois actuellement encore établis dans l'Etat de New-York, et qui fut adopté dans l'une de leurs tribus, celle des Sénécas, trouva en vigueur chez eux un système de parenté qui était en contradiction avec leurs véritables rapports de famille. Il régnait chez eux ce mariage individuel, facilement dissoluble de part et d'autre, que Morgan appelle « famille syndyasmique ». *La descendance d'un couple conjugal de ce genre était donc patente et reconnue de tout le monde ; il ne pouvait y avoir aucun doute sur la question de savoir à qui devaient s'appliquer les désignations de père, mère, fils, fille, frère, sœur. Mais l'emploi fait de ces termes contredit cette constatation. Ce ne sont pas seulement ses propres enfants que l'Iroquois nomme ses* « fils » *et* « filles », *mais aussi ceux de ses frères, et ceux-ci l'appellent* « père ». *Par contre, il appelle* « neveux » *et* « nièces » *les enfants de ses sœurs qui, eux, l'appellent « oncle ». Inversement, l'Iroquoise, à côté de ses propres enfants, appelle ceux de ses sœurs ses* « fils » *et ses* « filles », *et reçoit d'eux le nom de* « mère ». *Mais elle nomme* « neveux » *et* « nièces » *les enfants de ses frères, lesquels enfants l'appellent* « tante ». *De même les enfants de frères se nomment entre eux* « frères » *et* « sœurs », *ainsi que le font les enfants de sœurs de leur côté. Les enfants d'une femme*

14

*enfants de frères se nomment entre eux « frères » et « sœurs »,
ainsi que le font les enfants de sœurs de leur côté. Les enfants
d'une femme et ceux du frère de celle-ci s'appellent mutuelle-
ment « cousins » et « cousines »* (1).

Engels pense que ce ne sont pas là de simples noms, mais des
termes qui expriment le degré réel de la parenté ou, plus précisément, les idées que se font les Iroquois de la parenté consanguine. Il insiste ensuite sur l'étendue et la vigueur de ce système
de parenté que l'on trouve dans toute l'Amérique — aucune
exception à cette règle n'a été rencontrée chez les Indiens —, en
Inde chez les Dravidiens du Dekkan, chez les tribus « Gauras
de l'Hindoustan ». Plus de deux cents rapports de parenté sont
exprimés dans les mêmes termes chez les Tamouls de l'Inde et
les Iroquois. De même chez les deux peuples, il y a contradiction
entre la parenté réelle découlant du système familial existant
et la manière dont elle est exprimée dans la langue.

Morgan trouve l'explication de cette anomalie dans une
forme de famille rencontrée à Hawaï dans la première moitié
du XIXᵉ siècle et qu'il dénomme « punaluenne » : elle sera ana-
lysée ci-après.

Pour lui, la famille est l'élément dynamique, ses formes évo-
luent constamment, tandis que les termes exprimant celles-ci
restent figés pendant un laps de temps relativement long. Il se
produit donc une sorte de fossilisation du système de parenté
rendu par les mots. C'est bien après que la langue enregistre le
progrès accompli. Mais, écrit Engels :

*« Avec la même certitude que Cuvier a pu, de la découverte
dans le sol parisien des os marsupiaux d'un squelette d'animal,
déduire que ce squelette appartenait à une sarigue et que des
animaux de ce genre, alors disparus, avaient jadis vécu à cet
endroit, avec la même certitude nous pouvons conclure d'un
système de parenté historiquement transmis, qu'il a existé une
famille correspondante aujourd'hui éteinte »* (2).

Procédant ainsi par récurrence à partir des « systèmes de
parenté historiquement transmis », Morgan reconstitue l'histoire de la famille et dégage quatre types qui se sont succédé.

La plus ancienne, celle sortie de la promiscuité primitive,

---

(1) L'origine de la famille, de la propriété privée et de l'Etat (Traduit
par Bracke — A.-M. Desrousseaux). Alfred Costes, éditeur. Paris, 1936
(p. 12).
(2) Engels : Op. Cit., p. 14.

est la famille dite consanguine : elle se caractérise par le fait que le mariage n'est interdit qu'entre parents et enfants. Tous les hommes d'une génération sont mariés à toutes les femmes de la même génération ; tous les « grands-pères,» à toutes les « grands-mères », etc ... par conséquent tous les frères et sœurs sont mariés entre eux. La famille consanguine a disparu même chez les peuples les plus arriérés ; mais Morgan affirme son existence sur la base du système de parenté rencontré à Hawaï.

La seconde est la famille « punaluenne ». L'humanité, ayant senti obscurément l'inconvénient résultant de l'union des frères et sœurs qui provoque la débilité de la descendance, l'interdit serait apparu comme une nécessité. Désormais, c'est tout un groupe de sœurs ou de cousines qui seront épousées par un groupe de frères ou de cousins venus de l'extérieur. Ces frères s'appellent alors entre eux *punalua* comme le font aussi entre elles les femmes. D'où le nom donné par Morgan à ce type de famille.

La famille « punaluenne » revêt une grande importance dans la théorie de Morgan, en ce sens qu'il en fait dériver le « genos » qui est à la base de toute l'organisation politico-sociale de l'Antiquité classique.

> « Et la force avec laquelle l'action de ce progrès se faisait sentir est prouvée par une institution qui, immédiatement issue de lui, passe bien au-delà du but, celle de la gens, laquelle forme la base de l'ordre social de la plupart, sinon de tous les peuples barbares de la terre, et de laquelle, en Grèce comme à Rome, nous passons sans transition à la civilisation » (1).

Pour Morgan ce type de famille rend parfaitement compte du système de parenté des Iroquois. En effet, les sœurs ont les enfants en commun en quelque sorte. Réciproquement, tous les frères sont les pères communs ; tous les enfants communs se considèrent comme frères et sœurs. Mais le mariage étant interdit entre vrais frères et sœurs, les enfants d'une sœur seront les neveux et nièces d'un frère qui sera leur oncle, tandis que la sœur est la tante de ceux de ce dernier. Les enfants sont donc divisés en deux classes : d'une part, les fils et filles, d'autre part, les neveux et nièces ; ces deux groupes sont cousins entre eux.

Morgan fait dériver la filiation utérine de ces deux premières époques de l'histoire de la famille. Le matriarcat est impliqué

---

(1) Engels : Op. cit., pp. 26 à 27.

dans ce type de mariage par groupes, car seule la descendance matrilinéaire reste patente : il est donc antérieur au patriarcat.

La troisième est la famille « syndyasmique ». C'est la monogamie, avec facilité réciproque de divorce : c'est celle qui régissait toute la société indienne lorsque Morgan l'étudia. La filiation y est matrilinéaire et l'homme apporte la dot à la femme. Celle-ci ne quitte pas son clan et peut en exclure le mari (qui doit nécessairement appartenir à un clan différent) s'il n'apporte pas assez de vivres pour la nourriture commune. Quel que soit le motif de la séparation, les enfants restent en totalité au clan de la mère.

Le régime du matriarcat, sous sa forme la plus achevée, nous est donc transmis par la famille dite « syndyasmique ».

La quatrième est la famille monogame patriarcale où le divorce est rendu, sinon impossible, du moins extrêmement difficile ; la femme vit sous la dépendance totale du mari, sous son autorité juridique, la descendance est patrilinéaire.

Une autre découverte de Morgan, dont l'importance est soulignée par Engels, est l'identification des clans « totémiques » des Indiens avec le *genos* grec et la *gens* romaine. Il démontre que ce sont les formes indiennes d'organisation sociale qui sont les plus anciennes et que les formes gréco-latines en dérivent : c'est le clan totémique qui a engendré le *genos*.

« Cette preuve a d'un seul coup élucidé les parties les plus difficiles de l'ancienne histoire grecque et romaine, et nous a fourni en même temps des éclaircissements inespérés sur les traits fondamentaux du régime social de l'époque primitive — avant l'institution de l'Etat » (1).

Alors que Bachofen est parti des traces de matriarcat que recèle la littérature classique de l'Antiquité — en particulier de l'*Orestie* d'Eschyle — pour affirmer l'universalité du matriarcat et son antériorité, Morgan arrive aux mêmes conclusions à partir de l'étude des sociétés indiennes d'Amérique. Il y trouve un système de parenté dont l'originalité frappe son attention. Il fit procéder à une enquête par le gouvernement américain sur tout le territoire habité par les Indiens et put ainsi constater la généralité du système. Des recherches effectuées dans les autres parties du monde (Afrique Noire, Inde, Océanie) confirmèrent ses observations.

---

(1) Engels : op. cit., pp. 94 et 95.

Tout en reconstituant l'histoire de la famille à partir de ces données, Morgan étudie l'organisation clanique iroquoise et aboutit à la conclusion que le matriarcat qui y règne est une forme universelle qui, à un moment donné de leur évolution, a régi tous les peuples.

THÈSE
DE
ENGELS

Les conclusions de Bachofen et de Morgan sont de la plus haute importance pour un marxiste comme Engels, attaché à démontrer l'historicité, le caractère provisoire de toutes les formes d'organisation politique et sociale. Les faits relatés ci-dessus lui ont servi de matériaux pour démontrer que la famille monogame bourgeoise traditionnelle, loin d'être une forme permanente, sera frappée de la même caducité que les institutions antérieures. On voit donc pourquoi il a été amené à adopter les théories de Bachofen et de Morgan sur le matriarcat universel. Il a tenté de les enrichir par une contribution sur « *la gens chez les Celtes et les Germains* » (chapitre VII de son livre).

Etant donné que Engels a surtout apporté un appoint d'arguments pour appuyer les théories du matriarcat dont il avait besoin pour sa propre thèse, c'est dans le Chapitre II consacré à la critique qu'on aura l'occasion de revenir sur ses idées. L'examen dont celles-ci seront l'objet ne vise en rien à attaquer les fondements du marxisme : il s'agit seulement de montrer qu'un marxiste a utilisé dans une construction théorique des matériaux dont la consistance n'était pas prouvée.

Eschyle, le créateur de la tragédie attique, était convaincu que tout acte humain posait un problème de droit, de justice ; aussi la tragédie devait-elle essentiellement traiter de la justice. Tel semble le but que l'auteur a cherché consciemment à atteindre. Il a été ainsi amené à utiliser des matériaux relevant d'une époque où la notion de justice se confondait pratiquement avec une sorte de résignation stoïque au destin, à la fatalité. A cette rigueur de la coutume des premières sociétés, Eschyle qui appartenait à une autre époque a voulu opposer une justice plus souple, plus adéquate au progrès de la conscience humaine de son temps, moins élémentaire.

Cependant tout le matériel culturel mis en œuvre reflète également la lutte consciente des principes sociaux nordiques et méridionaux. C'est pour cela que Bachofen n'a eu aucune peine à voir dans *l'Orestie* la lutte du matriarcat et du patriarcat, avec le triomphe de ce dernier.

Pour en revenir à la notion de justice, on peut citer l'attitude du chœur des Furies hostiles à Oreste :

« *Ah ! il (Oreste) a donc trouvé un nouveau refuge : les bras enroulés autour de la statue, déesse immortelle, il implore un jugement de son acte. Mais il n'en est pas pour lui : le sang d'une mère une fois tombé à terre est difficile à rappeler. Ah ! Ah ! rapide, il a coulé sur le sol : il est perdu à jamais. Mais, il faut en revanche que ton corps tout vivant fournisse à ma soif une rouge offrande puisée à tes veines. Qu'à longs traits je me désaltère de ce sanglant breuvage* » (1).

Oreste s'adresse à Athéna, lui explique son cas et demande sa protection. Athéna répond en des termes qui posent le problème de la nouvelle justice : une justice qui semble transcender la faiblesse de la conscience des mortels chargée surtout de sentiments de vengeance, de subjectivité haineuse, en un mot une justice absolument sereine.

« ATHENA :

« *Si l'on trouve la cause trop grave pour que des mortels en décident, il n'est pas davantage permis à la déesse de juger les colères trop promptes qui se font justice dans le sang* ....
....
« *Mais puisque ce destin est sur Athènes, j'établirai ici des juges criminels, respectueux des serments et leur tribunal restera fondé pour l'éternité. Pour vous, faites appel aux témoignages et aux preuves, ainsi qu'aux serments, auxiliaires de la justice. Je reviendrai lorsque j'aurai choisi les meilleurs de ma ville, pour qu'ils jugent selon la justice sans transgresser leurs serments d'un cœur oublieux d'équité* » (2).

Le chœur réagit comme on peut s'y attendre en exprimant son inquiétude à l'égard des nouvelles lois que la déesse va instaurer pour l'éternité, à partir du jugement du tribunal divin.

« LE CHŒUR :

« *De nouvelles lois vont bouleverser le monde, si un jugement*

---

(1) Eschyle : L'Orestie, traduit par Paul Mazon, Éd. Albert Fontemoing, 1903.
(2) Euménides, vers 278 et suivants.

fait triompher la cause de ce parricide. Ce bel arrêt va désormais faciliter le crime aux hommes et, par la main des fils, distribuer aux pères de véritables et multiples blessures, dans les jours qui viennent « (1).

Une nouvelle édition des œuvres complètes de Bachofen a été publiée à Bâle de 1943 à 1948. Les tomes II et III sont consacrés au matriarcat (2). Bachofen y étudie les mœurs et coutumes des populations égéennes telles que les Lyciens, les Crétois, les Athéniens, les habitants de Lemnos, les Égyptiens, les Indiens et les habitants de l'Asie Centrale, les Epizephyriens Locriens, les habitants de Lesbos, Il termine par l'étude du Pythagorisme et de son aspect tardif. Au total l'ouvrage compte mille pages.

L'auteur décèle chez toutes les populations étudiées des traits culturels qu'il attribue au matriarcat, ceux-là mêmes qui sont exposés dans le texte de la thèse. Il voit dans le rôle joué par la femme dans l'initiation pythagoricienne un élément matriarcal. C'est l'analyse de ces faits qui va constituer la critique de la thèse de Bachofen.

L'ouvrage de Morgan (3) comprend trois parties. Dans la première, après une introduction générale sur le système de parenté, l'auteur démontre l'existence de deux systèmes, l'un classificateur, — non Aryen — et l'autre descriptif — Aryen —. A partir de cette distinction il étudie le système de parenté dans les familles Aryenne, Sémitique et Ouralienne.

Dans la seconde partie, il étudie la famille Ganowanienne (Indiens d'Amérique) et celle des Eskimo.

Dans la troisième partie, est examinée la famille Touranienne, celle des Malais et autres peuples d'Asie.

A la suite de chaque étude figure un tableau du système correspondant : deux de ces planches sont ici reproduites concernant la parenté dans le système de classification non aryenne.

---

(1) Eschyle : op. cit. Eumenides, vers 278 à 331.

(2) Johann Jacob Bachofens Gesammelte Werke, Dritter Band ; Das **Mutterrecht, Mit Unterstützung von Haralf Fuchs, Gustav Meyer und Karl Schefold** herausgegeben von Karl Meuli (Benno Schwabe et C° Verlag. **Basel,** 1948.

(3) Lewis M. Morgan : Systems of consanguinity and affinity, publié par the Smithsonian Institution. Tome XVII « Contribution to Knowledge », 1870 to 1871 (City of Washington, 1871).

D'après le Pasteur Leenhardt la dualité et la parité jouent un rôle essentiel dans la notion de parenté chez les Mélanésiens

« DUALITÉ. — *Lorsque la base de la relation apparaît organique, mère et enfant, frère et sœur, et aussi sur un autre plan, père et fils, mari et femme.*

« PARITÉ. — *Lorsque les deux éléments sont en position de réciprocité, égaux en droit, et constituant une réplique l'une de l'autre. Ex. oncle utérin et neveu etc... Parité est plus concret que dualité......*

Le duel (dualité) *aide donc le Canaque à situer les parités humaines dans les différents domaines, spatial, social et parental...*

« *De ces domaines, un seul a des frontières nettes et se partage en divisions circonscrites : le domaine parental,*

Les jalons qui marquent ces divisions sont permanents de même l'espace compris entre eux. Ils le circonscrivent comme une parcelle, et le Canaque voit dans celle-ci le domaine propre où se déroule la relation entre deux parents confondus dans une parité. Il nomme cet ensemble par un seul vocable qui est un substantif duel : ainsi

duaeri, *signifie la parité grand-père et petit-fils*
duamara *signifie la parité oncle utérin et neveu*
duawe *signifie la parité époux*
duavene *signifie la parité homonyme, car l'homonyme correspond à l'identité des personnes.* »

On aurait pu également rapprocher de l'analyse de Maurice Leenhardt, celle de Pierre Métais dans « Mariage et Équilibre social dans les sociétés primitives » (1).

(1) Maurice Leenhardt : La personne mélanésienne (École des Hautes Études, section des Sciences religieuses, Annuaire 1941-1942), Imprimerie Administrative, Melun, 1942.

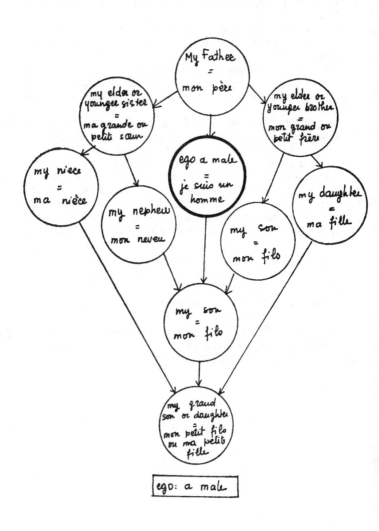

SYSTÈME DE PARENTÉ
A PARTIR D'UN HOMME DE LA TRIBU IROQUOISE
« Diagram of consanguinity : Seneca Iroquois », repris de *Systems
of Consanguinity and Affinity* de Lewis M. Morgan (planche IV).
La traduction en français et le renforcement du cercle de base sont
de nous.

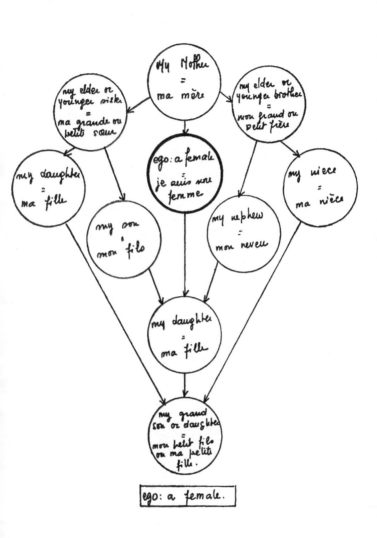

ego: a female.

SYSTÈME DE PARENTÉ
A PARTIR D'UNE FEMME DE LA TRIBU IROQUOISE

CHAPITRE II

Critique de la Thèse Classique
d'un Matriarcat Universel

Cette critique pourrait avoir une utilité appréciable sur le plan des recherches historiques. En effet, s'il était prouvé — contrairement à la thèse généralement admise — qu'au lieu d'un passage universel du matriarcat au patriarcat, l'humanité s'était dès l'origine scindée en deux berceaux géographiquement distincts, dont l'un propice à l'éclosion du matriarcat, l'autre à celle du patriarcat et que ces deux systèmes se sont rencontrés et même disputé les différentes sociétés humaines, que par endroits ils se sont superposés ou juxtaposés, on commencerait à élucider l'un des points obscurs de l'histoire de l'Antiquité. On disposerait dès lors d'un critère permettant d'identifier certains vestiges du passé, telles les traces indéniables de matriarcat à l'époque égéenne.

La thèse classique qui est aussi adoptée par la plupart des sociologues et des ethnologues — c'est celle de Durkheim — a été déjà mise en doute par Van Gennep qui, lui-même, s'appuyait, dans une certaine mesure, sur les travaux de Graebner.

« *La position qu'a vis-à-vis de ce problème M. Graebner, est, si je comprends bien sa phrase, la suivante :* « Il me semble, dit-il, qu'au moins en Australie l'un des systèmes de filiation n'est pas un développement continu de l'autre, mais qu'ils se sont rencontrés et mélangés, l'un des systèmes conservant la prépondérance dans une région et l'autre dans l'autre. » *C'est dire, je pense, que des populations à filiation masculine seraient arrivées au contact de populations à filiation utérine, et qu'il y aurait eu compénétration des deux systèmes, l'un et l'autre étant originairement des institutions autonomes.*

Le fait est que dans plusieurs tribus de l'Australie Centrale on trouve appliqués ensemble les deux systèmes de filiation.

Chez les Arunta, par exemple, où la filiation masculine régit la majeure partie des institutions, on constate en même temps des traces indéniables de filiation utérine « qui témoignent, dit M. Durkheim, de sa préexistence » (1).

Van Gennep montre que la position de Durkheim sur ce problème n'était pas nette et que par moment il semblait admettre l'autonomie originelle de chaque système. C'est à la suite « *de l'étude critique du second volume de Spencer et Guillen* » que sa position fut déterminée : « *Résumant son argumentation, il affirme enfin nettement :* « L'antériorité de la filiation utérine sur la filiation paternelle est tellement évidente dans les différentes sociétés dont nous venons de parler, elle est démontrée par une telle abondance de preuves qu'il nous paraît difficile de la mettre en doute » (2).

Van Gennep accuse Durkheim d'avoir résolu le problème sans l'avoir formulé. La seule chose que celui-ci aurait démontrée dans son étude approfondie des relations matrimoniales dans les sociétés océaniennes c'est une combinaison à l'infini des deux systèmes de filiation, mais non l'antériorité de l'un sur l'autre.

« *L'antériorité et l'infériorité de la filiation utérine pourraient bien ne tenir, dans nos théories, qu'à un préjugé : nos civilisations européennes, tout en décelant par endroits des traces d'utérisme, sont tellement fondées sur l'autre système, que notre tendance inconsciente est de considérer la filiation masculine comme supérieure, comme culturellement postérieure à l'autre. C'est ce principe que nous appliquons à autrui.*

Comme de juste, on a expliqué après coup cette théorie à-priorique : on a dit que la parenté de l'enfant avec la mère ne saurait faire aucun doute, alors que la parenté avec le père n'est guère certaine, surtout pour des « sauvages ». *Mais on s'est bien gardé de faire précéder cette affirmation d'une étude approfondie des opinions des sauvages sur le mécanisme de la conception, étude qui, malgré quelques travaux de détail, reste encore à faire aujourd'hui*» (3)

Il semble que la « *tendance inconsciente* » que mentionne Van

---

(1) A. Van Gennep : Mythes et légendes d'Australie, Ed. E. Guilmoto, Paris, s. d. (p. 23).
(2) Id., p. 24.
(3) Op. cit., p. 26.

Gennep chez l'Occidental — dont la civilisation est « *tellement fondée* » sur le patriarcat — justifie la hiérarchie établie par Bachofen entre le matriarcat et le patriarcat. On se souvient que pour lui le patriarcat est synonyme d'aspiration spirituelle vers les régions divines du ciel, de pureté et de chasteté morale, tandis que le matriarcat est synonyme de dépendance passive de la vie terrestre, matérielle, des besoins du corps. Au lieu que l'épanouissement de l'être qui est lié au matriarcat — et particulièrement de la femme — que le respect dont celle-ci est entourée, lui apparaissent comme le véritable progrès et l'aident à établir une hiérarchie objective des valeurs il ne verra dans cet ensemble d'institutions favorables à la femme et à la personne humaine en général que l'expression d'une liberté dangereuse, presque satanique. La hiérarchie ainsi établie entre les deux systèmes manque donc de fondement objectif.

Une première critique importante qu'on peut faire à la thèse de Bachofen, c'est qu'elle comporte une lacune majeure qui n'a pas été suffisamment mise en relief. La démonstration du passage universel d'un matriarcat à un patriarcat n'est scientifiquement acceptable que si l'on peut prouver, au sein d'un peuple déterminé, que cette évolution interne s'est bien effectuée. Or cette condition n'a jamais été remplie dans les travaux de l'auteur. On n'a jamais pu déterminer une époque historique à laquelle Grecs et Romains auraient connu le matriarcat. On tourne la difficulté en leur substituant les peuples aborigènes qu'ils ont trouvés sur place au moment de leur sédentarisation et qu'ils ont détruits en tant que représentants d'une culture qui leur était étrangère : c'est ainsi qu'on est obligé de remonter aux Etrusques — entièrement supprimés par les Romains — pour démontrer l'existence du matriarcat en Italie. Or, rien n'est plus douteux que la gynécocratie étrusque, ainsi qu'il sera établi ci-après. Quand il s'agit des Athéniens, c'est chez les Pélasges qu'il faut chercher les éléments justificatifs d'un matriarcat.

Lorsqu'on l'examine de près, la thèse de Bachofen apparaît comme anti-scientifique. Il est improbable que des berceaux aussi différents géographiquement que les steppes eurasiatiques — propices à la vie nomade — et les régions méridionales du globe, en particulier l'Afrique — propices à l'agriculture et à la vie sédentaire — aient engendré les mêmes types d'organisation sociale. Cette critique prend toute sa valeur si l'on admet l'influence du milieu sur les formes sociales et politiques. En supposant que le matriarcat est né dans le sud et le patriarcat dans le nord, que le premier a précédé le second dans le

Bassin Méditerranéen, et qu'en Asie Occidentale les deux systèmes se sont superposés par endroits, l'hypothèse d'une évolution universelle de l'un à l'autre cesse d'être nécessaire ; les lacunes des théories s'effacent et l'ensemble des faits devient explicable : rang de la femme, mode d'héritage, dot, nature de la parenté, etc...

Aussi loin que l'on puisse remonter dans le passé indo-européen, surtout par la voie de la linguistique comparée, on ne rencontre qu'une forme de famille patriarcale qui semble commune à toutes les tribus avant leur séparation (Aryens, Grecs, Romains). Les termes relatifs à la vie nomade sont communs contrairement à ceux qui concernent la vie politique et l'agriculture :

« *Les racines communes pour la désignation du bétail attestent des mœurs pastorales. Le troupeau ou bétail* (paçu *en sanscrit,* pecu *en latin,* fihu = vieh *en allemand) était la principale richesse* (pecunia). *Il consistait surtout en bœufs* (sanscrit *et avestique* gau, *arménien* kov, *grec* bous, *latin* bos, *irlandais* bô) *et en moutons* (sanscrit avi, *lituanien* avis, *grec* ois, *latin* ovis, *irlandais* oi, *haut allemand* ouwi, *vieux slave* ovinu). *Le bœuf, comme le cheval, était attelé au chariot, car le nom du* « joug » *est remarquablement conservé dans les divers dialectes* (yuga *en sanscrit,* jugum *en latin,* zygon *en grec,* juk *en gothique,* jungas *en lituanien*). *De même, on trouve une racine qui s'applique tantôt au char lui-même* (ratha, *en sanscrit,* rathô *en avestique), tantôt à la roue* (rota *en latin,* roth *en vieil irlandais,* ratas *en lituanien,* rad *en vieux haut-allemand).*

....

« *De ce qui précède il semble résulter que les Indo-Européens, vers la fin de leur vie commune, étaient un peuple de pasteurs, éleveurs de moutons et de bœufs, et, comme tels, sinon à demi-nomades, du moins assez mobiles...* » (1).

Cette vie nomade est caractéristique de l'Indo-Européen : d'après Hérodote et Diodore de Sicile, la maison du Scythe était le chariot. Il en fut de même à l'époque postérieure chez les Germains. Une confirmation en est donnée par l'absence d'un terme générique désignant la ville dans le fond primitif du vocabulaire :

-----

(1) *Les Premières Civilisations,* par André Aymard, F. Chapoutier, Georges Contenau... (Coll. Peuples et Civilisations), Éd. Presses Universitaires de France, 1950, pp. 200 à 202.

« *Le chef de famille est dit* « chef de maison » : *en sanscrit* :
dampati, *en* grec despotès (pour demspotâ), *en* latin dominus.
*Une racine commune désigne tantôt la maison, tantôt le groupe
de maisons ou village* (*en sanscrit* viç, *en avestique* vis, *en latin*
vicus, *en grec* oikos), *avec un chef de village* (viçpati *en sanscrit*,
vispaiti *en avestique*, vëszpats *en lithuanien*). *Pas de terme d'abord
pour la ville, mais un mot pour* « lieu fortifié », *qui, par la suite,
signifiera ville* : pur *en sanscrit*, pilis *en lithuanien*, polis *en*
grec ; » (1).

Dans cette existence qui se réduisait à de perpétuels déplace-
ments le rôle économique de la femme était ramené au strict
minimum ; elle n'était qu'un fardeau que l'homme traînait derrière lui. En dehors de la procréation, son rôle dans la société
nomade est nul. C'est à partir de ces considérations qu'une
explication nouvelle peut être tentée pour justifier le sort de
la femme dans la société indo-européenne. Ayant moins de valeur économique c'est elle qui quitte son clan pour rejoindre
celui de son mari, contrairement à la coutume matriarcale qui
exige l'inverse. Chez les Grecs, les Romains et les Aryens de
l'Inde, la femme qui quitte son *genos* (ou *gens*), pour rejoindre
celui de son mari est rivée à ce dernier et ne peut plus hériter
dans le sien : elle a rompu avec sa famille naturelle vis-à-vis
de laquelle elle n'est plus qu'une étrangère. Elle ne peut plus
participer au culte domestique sans lequel aucune parenté n'est
possible : elle doit même compenser son infériorité économique
par une dot qu'elle apporte au mari. Celui-ci a droit de vie et
de mort sur elle : il n'a pas de compte à rendre à l'Etat en ce
qui concerne le sort qu'il peut lui faire subir. Cette institution
privée antérieure à celle de l'Etat et remontant à la période de
vie commune dans les steppes eurasiatiques, est restée longtemps
inviolable. Le mari pouvait vendre sa femme ou lui choisir un
époux éventuel en prévision de sa propre mort.

Longtemps après la sédentarisation les femmes indo-européennes étaient encore cloîtrées. Engels rappelle qu'elles appre-
naient, tout au plus, à filer, à tisser, à coudre et un peu à lire ;
qu'elles ne pouvaient avoir de rapports qu'avec d'autres femmes : elles étaient isolées dans le gynécée qui constituait une
partie distincte de la maison, soit à l'étage supérieur, soit derrière, pour les soustraire à la vue des hommes et, surtout, des
étrangers. Elles ne pouvaient pas sortir sans être accompagnées

_____

(1) Id., p. 200.

d'une esclave. La fabrication d'eunuques pour surveiller les femmes est typiquement indo-européenne et asiatique : du temps d'Hérodote Chios était le principal centre de ce commerce (1).

Une sorte de polygamie larvée a existé aussi chez les Indo-Européens :

« *Toute l'Iliade roule, comme on sait, sur le conflit entre Achille et Agamemnon au sujet d'une de ces esclaves. A propos de chaque héros homérique d'importance, on mentionne la jeune prisonnière de guerre avec laquelle il partage sa tente et son lit. Ces jeunes filles sont aussi amenées au pays et dans la maison conjugale, comme Cassandre par Agamemnon dans Eschyle ; les fils nés de ces esclaves ont une petite part à l'héritage paternel et comptent comme hommes libres ; Teucer est ainsi un fils illégitime de Télamon, a le droit de porter le nom de son père. Quant à la femme légitime, on attend d'elle qu'elle supporte tout cela, mais en gardant elle-même une chasteté, une fidélité conjugale rigoureuse* » (2).

La polygamie était également en vigueur dans l'aristocratie germanique à l'époque de Tacite.

La monogamie qui semblait être — à première vue — l'apanage du monde indo-européen et traduire un respect quasi religieux de la femme, par opposition au mépris dont celle-ci serait l'objet dans les régions méridionales, cette monogamie n'a pu s'instaurer que très péniblement à travers le temps sous la pression des conditions économiques (3).

La parenté matrilinéaire est inexistante chez les Indo-Européens : les enfants de deux sœurs appartiennent à deux familles différentes, celles de leurs pères. Contrairement à la coutume matriarcale, ils n'ont aucun lien de parenté. Il en est de même de leurs mères qui ne sauraient hériter l'une de l'autre. Seul l'aîné de sexe mâle hérite ; à défaut d'enfants c'est le frère et non la sœur. A défaut du frère, on cherche, dans la branche collatérale la plus proche, un ancêtre mâle dont un descendant — mâle aussi et vivant — devient l'héritier (4).

Dans ce régime où tous les droits — surtout politiques — sont transmis par le père, on comprend que les divers dialectes n'expriment pas avec précision la parenté féminine :

« *Dans tous les dialectes indo-européens, observent les linguis-*

---

(1) Engels, op. cit., p. 63.
(2) et (3) : Engels, op. cit., pp. 60 et suivantes.
(4) Fustel de Coulanges : La Cité antique (Hachette, 1930), pp. 59 à 62.

tes, les termes de parenté sont remarquablement conservés pour la famille de l'homme. Au contraire, il y a imprécision complète pour la famille de la femme » (1).

En cas de périole difficile la femme devient bouche inutile. C'est la seule explication sociologique que l'on puisse donner de la suppression des filles dès la naissance chez les nomades. Devenue inutile avec la sédentarisation, cette pratique fut interdite par la Bible et le Coran. On trouve dans la préface du livre de Engels une critique adressée à un auteur, Mac-Lennan, qui a tenté d'expliquer l'origine de la filiation matrilinéaire considérée, par lui aussi, comme la plus ancienne, la plus primitive. Il part d'une hypothèse de travail selon laquelle le matricarcat est lié au rapt des femmes et au meurtre des enfants. Ce n'est là que l'hypothèse qui, si elle est juste, doit être vérifiée dans les faits. Mais l'expérience prouve le contraire et Mac-Lennan eut la bonne foi de le constater avec surprise, comme le mentionne Engels :

« *Avec toute sa plausibilité, il semble cependant que la théorie de Mac-Lennan n'ait pas paru à son auteur trop solidement établie. Tout au moins est-il frappé de ce qu'il soit* « à remarquer que la forme du rapt (simulé) des femmes soit la plus prononcée et la plus expressive précisément chez les peuples où domine la parenté masculine (c'est-à-dire la descendance en ligne paternelle) » *et de même, il écrit :* « C'est un fait singulier que le meurtre des enfants n'est, que nous sachions, systématiquement pratiqué nulle part où l'exogamie et la plus ancienne forme de parenté existaient côte à côte ». *Double fait qui va directement à l'encontre de sa façon d'expliquer les choses, et auquel il ne peut opposer que des hypothèses nouvelles, plus embrouillées encore* » (2).

CULTE DES CENDRES — A partir de l'hypothèse du double berceau on rend intelligible la pratique de l'incinération. Il est certain, en effet, que sous le nomadisme on ne peut pas vouer un culte à des tombeaux fixes ; or, le culte des ancêtres existait déjà et se traduisait sous la forme d'une religion domestique sur laquelle on reviendra. La seule solution qui s'offrait était de réduire le corps des défunts à un poids et un volume minima pour les rendre transportables. Ainsi les

---

(1) André Aymard, op. cit., p. 200.
(2) Engels : op. cit., Préface, p. 25.

urnes contenant les cendres des ancêtres n'étaient autre chose qu'un cimetière ambulant, derrière le troupeau en quête de nouvelles prairies. On sait que les pratiques les plus immuables, les plus difficiles à abandonner, sont celles qui relèvent de la religion ; aussi le culte des cendres fut-il perpétué même après la sédentarisation, en Grèce, à Rome, aux Indes. Il cessa alors d'apparaître comme une pratique logique et explicable à partir du contexte local. Il devenait d'autant plus inintelligible que le tombeau, devenu nécessaire fut adopté parallèlement ; et l'on aboutissait à des rites assez curieux en ce sens que, le passé exigeant toujours ses droits, on incinérait souvent les morts avant de les enterrer. César fut incinéré, Gandhi et Einstein aussi.

CULTE
DU
FEU

La tranquilité des Mânes dépendait de l'entretien d'un feu qui ne devait jamais s'éteindre. C'était le foyer domestique allumé sur un autel. L'originalité réside dans la présence du feu, car le culte des Ancêtres n'est l'apanage d'aucun peuple : on admet aisément son universalité. En conséquence les autels qui en dérivent existent également dans tous les pays, mais c'est seulement chez les Indo-Européens qu'ils seront surmontés d'un feu sacré qui ne doit jamais s'éteindre. Il est difficile de ne pas lier la présence de ce feu au caractère froid du climat nordique : son rôle bienfaisant est primordial. A force d'être utile, il devint sacré et fut adoré comme tel. C'est ainsi que le culte du feu est caractéristique du berceau nordique ; si l'on faisait la « sociologie » de la flamme du souvenir, il serait difficile de ne pas remonter jusqu'à cette origine.

L'hypothèse du double berceau a donc permis de rendre compte des faits caractéristiques de la société indo-européenne, dont, incontestablement, le nomadisme fut, à l'origine, le trait dominant :

« *Le terme « labourer » est commun à tous les dialectes, sauf l'indo-iranien (*aroô *en grec,* aro *en latin,* airim *en irlandais,* ariu *en lithuanien,* arja *en gothique, et charrue se dit* arow *en arménien). L'absence du mot « labourer » chez les Indo-Iraniens, peut s'expliquer en supposant que ces peuples l'avaient perdu durant leurs longues migrations à la suite d'une période transitoire de vie nomade* » (1).

—————

(1) André Aymard, op. cit., p. 201.

On peut supposer que si la langue avait enregistré le terme avant la séparation du rameau indo-iranien, les régions cultivées, les champs traversés durant la migration auraient dû en entretenir la mémoire.

La langue peut contenir certains termes désignant des plantes sans que le peuple qui la parle les cultive. On ne peut donc pas partir de l'existence d'un mot se rapportant à une céréale pour en déduire le caractère agricole d'un peuple. Il est donc quasi certain qu'au moment de la séparation toutes les tribus indo-européennes étaient encore nomades. La sédentarisation et la pratique de l'agriculture étant, chez eux, postérieures à cet événement, on comprend que ceux qui se sont sédentarisés, à peu près simultanément, au nord de la Méditerranée, aient adopté le même terme alors que les Indo-Iraniens aient pris un mot différent, au contact, peut-être, des populations agricoles dravidiennes.

BERCEAU MÉRIDIONAL ET MATRIARCAT L'exposé qui précède établit que, lorsque la structure sociale est telle que dans le mariage la femme quitte sa famille pour en fonder une nouvelle avec son mari, on est en présence d'un régime patriarcal ; à l'origine la famille se confondait évidemment avec le clan. Inversement, lorsque la structure sociale est telle que l'homme qui se marie quitte son clan pour aller vivre dans celui de sa femme, on est en présence d'un régime matriarcal. Or le premier cas n'est concevable que dans la vie nomade et le second ne l'est que dans la vie sédentaire et agricole : en effet, c'est dans ce cadre seulement que la femme peut, malgré son infériorité physique, apporter une contribution appréciable à la vie économique. Elle en devient même l'élément stabilisateur en tant que maîtresse de maison, gardienne des vivres ; il semble même qu'elle ait joué un rôle important dans la découverte de l'agriculture et la sélection des plantes pendant que l'homme se livrait à la chasse. A ces âges primitifs où la sécurité du groupe était le souci majeur, la considération dont jouissait l'un des sexes était liée à sa contribution à cette sécurité collective. Dans un régime agricole on peut donc s'attendre à ce que la femme reçoive la dot au lieu de l'apporter comme cela a lieu dans la vie nomade. C'est ainsi qu'on doit expliquer, sociologiquement, la signification de la dot : une compensation ou une garantie apportée par le sexe le moins favorisé économiquement. Si l'indo-européenne qui donne sa dot n'achète pas son mari, l'africain qui remet la sienne n'achète pas davantage sa femme.

On comprend également que la filiation soit comptée, dans ces deux structures sociales, à partir de celui des conjoints qui ne quitte pas son clan après le mariage. Chez le nomade indo-européen la filiation sera patrilinéaire, sa femme n'étant qu'une étrangère dans son *genos*; par contre, chez le sédentaire la filiation sera matrilinéaire parce que c'est l'homme qui est un étranger que la femme peut, à tout moment, répudier s'il ne satisfait pas à tous ses devoirs conjugaux.

« *En général, la partie féminine gouvernait la maison, les provisions étaient communes ; mais malheur au pauvre mari ou à l'amant qui était trop fainéant ou trop maladroit pour apporter sa part à l'approvisionnement commun. Quel que fût le nombre d'enfants ou la quantité d'effets personnels qu'il eût dans la maison, il pouvait à chaque instant être mis en demeure de faire son paquet et de déguerpir. Et il ne lui fallait pas essayer de la résistance ; il faisait trop chaud dans la maison pour lui ; il ne lui restait plus qu'à retourner dans son propre clan (gens), ou, ce qui arrivait le plus souvent, à rechercher un nouveau mariage dans un autre. Les femmes étaient la grande puissance dans les clans (gentes), de même que partout ailleurs. Le cas échéant, elles ne regardaient pas à déposer un chef et à le dégrader au rang d'un simple guerrier* » (1).

Ce texte d'un missionnaire, Arthur Wright, que cite Engels, concerne les coutumes iroquoises. Il aurait pu mettre Engels à l'abri d'une erreur d'interprétation du matriarcat consistant à partir de l'idée d'une promiscuité primitive : car il montre que la femme doit son rang social et sa considération exclusivement à la structure de la société qui lui permet de jouer un rôle économique prépondérant. Il est regrettable que ce facteur « économique » ait échappé à un marxiste.

L'existence des « familles bleues » d'Irlande illustre tout ce qui précède. Les conditions nécessaires étant réalisées nous voyons le matriarcat naître sous nos yeux, à l'époque moderne indépendamment de la race.

« *Lorsque le mari, d'autre part, est un étranger, n'ayant pas de famille en Irlande, la petite famille qu'il fonde est agrégée à la famille de sa femme ; elle s'appelle la famille bleue, « glas-fine », parce que le mari est censé être venu par mer ; on dit alors que le « mariage » est de l'homme et le « bien », de la femme* » (2).

(1) Engels : op. cit., pp. 41 et 42.
(2) Henri Hubert — Les Celtes (coll. Evolution de l'humanité Albin Michel, Paris, 1950, page 247.)

L'immigrant qui quitte son pays, son « clan » pour ainsi dire est désavantagé, bien que le système en vigueur soit patrilinéaire en Irlande.

Le mode d'héritage, par voie de conséquence, est subordonné au système de filiation. Dans le système matriarcal à l'état pur on n'hérite pas de son père ; on hérite de son oncle maternel et on épouse sa fille, afin que celle-ci ne soit pas tout à fait déshéritée. Tous les droits politiques sont transmis par la mère ; en dehors de l'usurpation, aucun prince ne peut hériter d'un trône si sa mère n'est pas princesse. L'importance de l'oncle maternel vient du fait que c'est lui qui assiste sa sœur, la représente en tous lieux et, au besoin, prend sa défense. Ce rôle d'assistance à la femme, à l'origine, n'incombait pas au mari considéré plutôt comme un étranger à la famille de sa femme. Cette conception est diamétralement opposée à celle de l'indo-européen. L'oncle, dans certaines langues africaines, signifie celui qui a le droit de vendre (sous-entendu : son neveu) : cela veut dire qu'au cas où il serait fait prisonnier, il peut se racheter en donnant son neveu à sa place. D'où l'étymologie de neveu, dans la même langue : celui qui peut servir de rançon, qu'on peut vendre pour libérer son cou de la corde de l'esclavage.

En valaf, langue parlée au Sénégal, on a la terminologie suivante :

Na Diày = qu'il vende = oncle.

Djar bât = valoir une rançon = neveu.

La généralité de ces coutumes pour toute l'Afrique Noire est attestée par une étude de Delafosse :

« *Ceci n'empêche pas d'ailleurs le rôle de chef de famille d'être rempli par un homme, quoi qu'il le soit quelquefois par une femme ; mais, chez les populations qui n'admettent que la parenté utérine, le chef de la famille est le frère utérin de la mère. Chez les autres populations, c'est le père.*

....

En réalité, nulle part chez les Noirs la femme n'est considérée comme incorporée à la famille de l'époux ; elle continue, après le mariage, à faire partie de sa propre famille, mais elle en est distraite momentanément au profit du mari et, par suite, au profit de la famille de celui-ci. C'est pourquoi la coutume universellement admise dans l'Afrique Noire exige, pour qu'il y ait union valide et régulière, que la famille du futur verse à la famille de la future une indemnité, en compensation du tort causé à cette dernière famille par le prélèvement d'un de ses membres. Il n'y a pas, comme on l'a prétendu à tort, achat de la femme par le mari, puis-

que l'épouse ne cesse pas d'appartenir légalement à sa propre fa-
mille et ne devient nullement la chose de l'homme qu'elle a épousé ;
il y a seulement versement d'une indemnité, ou, plus exactement,
d'une caution, laquelle d'ailleurs varie énormément selon les pays
et selon la condition des futurs époux, pouvant aller de plusieurs
milliers de francs à un objet qui ne vaut que quelques centimes ;
dans ce dernier cas, il n'y a plus que l'accomplissement d'une
simple formalité exigée par le respect des traditions coutumiè-
res » (1).

Dans les sociétés méridionales tout ce qui est afférent à
la mère est sacré ; son autorité est pour ainsi dire illimitée.
Elle peut choisir un conjoint à son enfant sans consultation
préalable de l'intéressé. Cette coutume liée à la vie agricole
existe également chez les Iroquois :

« *Par ailleurs, chez les Indiens d'Amérique et en d'autres pays*
(au même stade), la conclusion du mariage est l'affaire non des
intéressés, qui souvent ne sont même pas consultés, mais de leurs
mères. Souvent deux êtres totalement inconnus l'un à l'autre sont
ainsi fiancés, et informés du marché conclu quand le moment du
mariage approche. Avant la noce, le futur fait aux parents genti-
lices de la fiancée (c'est-à-dire à ses parents maternels et non à
son père et aux proches de celui-ci) des cadeaux qui sont consi-
dérés comme prix d'achat de la jeune fille cédée. Le mariage reste
soluble au gré de chacun des deux conjoints (2).

Tout serment invoquant la mère doit être exécuté sous peine
d'avilissement : à l'origine les plus sacrés furent ceux qu'on
prononçait la main tendue au-dessus de la tête de la mère.
Sa malédiction brise irrémédiablement l'avenir de son enfant :
elle est le plus grand malheur qu'il faut à tout prix éviter. Un
africain de formation universitaire occidentale (qui devrait être
un émancipé de la coutume) peut être à peine sensible à une malédiction qui serait lancée par son père ; il en serait tout autrement si celle-ci émanait de la bouche de sa mère. Toute la société
africaine noire est convaincue de l'idée que le sort de l'enfant
dépend uniquement de sa mère et, en particulier, du labeur
que celle-ci aura fourni dans la maison conjugale ; aussi n'est-il
pas rare de voir des femmes supporter volontairement des in-
justices de la part de leur mari avec la conviction qu'il en résul-

---

(1) Maurice Delafosse : Les Noirs de l'Afrique, Payot et Cⁱᵉ, Paris,
1922, pp. 140-141.
(2) Engels, op. cit., p. 40.

tera le plus grand bien pour les enfants : il faut entendre par là que ceux-ci auront toutes facilités pour réussir dans leurs entreprises quelles qu'elles soient, qu'ils seront épargnés par le « mauvais sort », et les malheurs de toutes sortes, qu'ils seront une réussite et non un échec social. Un concept sociologique précis correspond à cette idée dans la mentalité africaine : c'est ainsi qu'en valaf on dit :

N'Day dju liguèy = une mère qui a travaillé.

Ethnologues et sociologues ont tenté de fonder le matriarcat décelé dans les sociétés méridionales sur l'idée qu'ont celles-ci de l'hérédité. Ils ne soutiennent pas, à proprement parler, comme Bachofen, Morgan et Engels, que l'incertitude qui règne sur la paternité est due à une promiscuité primitive ; pour ces derniers, le « primitif « n'est pas inapte à reconnaître le rôle de l'homme dans la conception de l'enfant ; il n'y a aucun doute sur la participation du père mais la structure sociale ne permet pas d'identifier ce dernier et ce serait la seule raison pour laquelle la filiation serait, d'abord, matrilinéaire (1).

Pour ethnologues et sociologues, le « primitif » ne peut pas s'élever à la notion « abstraite » de la participation du père. Le rôle du père est plus ténu, plus difficile à saisir par l'esprit humain ; sa conception demande une maturité et une logique qui font défaut à la mentalité archaïque. On voit ainsi par quel biais ces spécialistes en arrivent à adopter la même échelle de valeurs que Bachofen : la supériorité du patriarcat ne fait aucun doute et sa spiritualité tranche sur la matérialité des premiers âges. Il y a donc eu évolution universelle, passage de l'inférieur au supérieur.

Il est regrettable que cette thèse n'ait pu être formulée qu'à partir de l'étude des sociétés océaniennes effectuées par les ethnologues et sociologues antérieurement cités : ceux-là mêmes dont les travaux ont été critiqués par Van Gennep (cf. p. 25). En effet, si l'on veut qu'un problème de sciences humaines soit insoluble, il suffit de le poser à partir de l'Océanie. L'éparpillement dans l'Océan des terres habitables, leur exiguïté la plupart du temps, le croisement des directions de migrations, le nombre de races qui se sont heurtées, juxtaposées, superposées ou qui ont fusionné, donnent à ce qu'on convient d'appeler le continent océanien, un faciès dont l'originalité s'oppose à la solution de tout problème humain. Le phénomène de régression et de dégénérescence né de cet état de choses, ne peut que dérouter davan-

---

(1) Le culte phallique de la préhistoire en est une preuve.

tage l'esprit du chercheur. Il eût été important de poursuivre ces recherches sur un autre continent « arriéré », l'Afrique ou l'Amérique, où l'indigène bénéficie d'une base de résistance aux facteurs extérieurs plus large et plus solide.

Il semble plutôt que, dans les sociétés dites primitives, l'indigène n'ait jamais mis en doute la participation du père et de la mère, mais qu'il ne les situe pas sur le même plan. Dans le cas particulier de l'Afrique Noire, on pense, presque partout, que l'enfant doit davantage, biologiquement parlant, à sa mère qu'à son père. L'hérédité biologique du côté maternel est plus solide, plus importante que l'hérédité du côté paternel. En conséquence, on est ce qu'est sa mère, on n'est qu'à moitié ce qu'est son père. Voici un exemple tiré des croyances africaines qui illustre cette idée.

Au Sénégal, comme en Ouganda, en Afrique Centrale, on croit à l'existence parmi les humains d'un être qu'on devrait appeler proprement « sorcier - mangeur d'êtres » pour le distinguer du sorcier traditionnel mentionné dans les ouvrages des ethnologues. Seul, le premier mérite aux yeux des Africains le nom de sorcier ; le second n'est que le possesseur d'une science secrète dont il est très jaloux et qu'il ne révèle qu'au moment de l'initiation à des gens qui le méritent, soit parce que la société leur y donne droit (classes d'âge), soit parce qu'ils sont des disciples. Le premier est doué d'un pouvoir surnaturel grâce auquel il peut se transformer en toutes sortes d'animaux pour effrayer sa victime, la nuit en général, chasser ainsi le « principe actif » de son corps (*fit* en valaf). Sitôt que la victime, considérée comme morte, est enterrée, le sorcier se rend à la tombe, la déterre, la ranime et la tue réellement pour consommer sa chair comme viande de boucherie. Ce sorcier est censé posséder une paire d'yeux à la nuque en plus des yeux ordinaires, ce qui le dispense de tourner la tête. Il a des bouches puissamment dentées au niveau des articulations des bras et des jambes. Il a le pouvoir de voler dans les airs en laissant échapper des feux par les aisselles ou la bouche. Il voit aisément les entrailles de ses convives et la moëlle de leurs os ; il voit leur sang circuler, leur cœur battre ; il a ce pouvoir curieux d'un être de la quatrième dimension qui pourrait nous enlever un os sans nous ouvrir : en effet, notre corps n'est hermétiquement fermé, n'est protégé par la Nature que dans les trois dimensions de notre espace. S'il existait un être ayant le sens d'une quatrième dimension, et pouvant vivre auprès de nous, il verrait effectivement nos entrailles et pourrait, grâce à cette quatrième dimension, qui nous échappe et par rapport à laquelle nous sommes ouverts, nous enlever les os de nos membres sans avoir besoin de nous ouvrir. Lorsqu'il est identifié et battu par la population, pour avoir été responsable de la mort d'une victime, ce sorcier possède le pouvoir de dissocier son être ; de garder dans son corps son « principe vital », d'en sortir son « principe actif » lié à sa sensibilité à la douleur et de le faire supporter par quelqu'objet avoisinant. A partir de ce moment il ne sent plus les coups, jusqu'à ce qu'on découvre et frappe le nouvel « objet-support » de son « principe actif ». Il possède ainsi un pouvoir médiumnique. Cette description détaillée des pouvoirs surnaturels du sorcier a pour but de mieux mettre en relief les idées qu'ont les Africains sur l'hérédité patrilinéaire et matrilinéaire. On ne pourra être sorcier, doué de toutes les qualités ainsi décrites, c'est-à-dire sorcier-total, que si l'on est issu d'une mère sorcière au même degré ; peu importe ce qu'est le père. Si la mère n'est douée d'aucun pouvoir et si le père est sorcier-total (*demm*, en valaf) l'enfant n'est qu'à moitié sorcier : il est *nohor* ; il ne possède aucune qualité positive du sorcier, il n'en a que les aspects passifs. Il sera incapable de tuer une victime pour se nourrir de sa chair, ce qui est la qualité principale du *demm*. Par contre il pourra contempler passivement les entrailles de ses convives.

On voit donc ici que la participation du père dans la conception de l'enfant n'est pas mise en doute, n'est pas ignorée, mais qu'elle est secondaire et moins opérante que celle de la mère. Tout en sachant que le père apporte quelque chose, on est convaincu de l'identité de l'enfant et de la mère.

Ces idées, de par leur nature, relèvent des premiers âges de la mentalité africaine : elles sont donc archaïques et constituent, à l'heure actuelle, des sortes de fossiles qui surnagent dans le domaine des idées actuelles. Elles constituent un ensemble qu'on ne peut que considérer comme la suite logique d'un état antérieur, plus primitif, où aurait régné, exclusivement, l'hérédité matrilinéaire.

CULTE DES MORTS

C'est dans le cadre de la vie sédentaire que l'existence du tombeau se justifie. Aussi est-il impossible de rencontrer dans un pays agricole, comme l'Afrique Noire, depuis l'antiquité jusqu'à nos jours, des traces d'incinération. Tous les cas signalés sont inauthentiques : ce ne sont que des suppositions de chercheurs dans l'esprit desquels la démarcation de ces deux berceaux n'est pas nette et qui, relevant du berceau nordique, ont tendance à identifier n'importe quelle trace de feu comme vestige d'incinération, quand bien même on ne rencontrerait aucun objet cultuel à côté. L'Égypte ancienne n'a pas non plus connu la pratique de l'incinération.

Partout où l'on rencontre la pratique de l'incinération, fût-ce en Amérique et en Inde, il est possible de discerner la présence d'un élément indo-européen venu des steppes eurasiatiques. On ne peut pas expliquer la formation de l'Amérique précolombienne sans faire intervenir un élément nomade entré par le Détroit de Behring : c'est la thèse généralement admise et elle permet de justifier ce rite funéraire qui se superpose à la pratique de l'enterrement chez les Indiens d'Amérique. Au Mexique, l'incinération des chefs, c'est-à-dire de la classe dirigeante, alors que les ressortissants du peuple étaient enterrés, semble attester une victoire de conquérants nordiques nomades, peut-être d'origine mongole, sur une population agricole et sédentaire. Le fait que le terme pour désigner la pirogue, c'est-à-dire le seul élément pouvant servir de liaison entre l'Afrique et l'Amérique, soit le même dans quelques langues africaines (*lothio* en valaf) et certaines langues indiennes d'Amérique précolombienne semble prouver des relations maritimes entre les deux continents par l'Atlantique. Il y aurait donc eu, là aussi, juxtaposition de deux populations d'origine différente : l'une méridionale, l'autre nordique. Les tombeaux constituent la demeure des Ancêtres après la mort. On y fait des libations, on apporte des offrandes et on y prie ; lorsqu'on veut accroître ses chances dans la vie quotidienne, au sujet d'une démarche précise, on va faire le tour du tombeau des Ancêtres. D'où l'expression valaf, *ver-seg* = faire le tour-des cimetières = chance.

Mais nulle part en Afrique il n'existe ce fourmillement d'autels domestiques surmontés de feux sacrés devant brûler aussi longtemps que dure la famille, coutume qui semble dériver directement du culte nordique du feu.

Telles sont les idées générales qu'on peut opposer au système construit par Bachofen sur la base des traces de matriarcat retrouvées dans l'Antiquité classique — traces qui seront examinées en détail dans le prochain chapitre. Cependant on peut se demander si, aux arguments exposés ci-avant pour justifier le matriarcat des populations méridionales, il ne serait pas judicieux d'en ajouter un autre ayant trait au cycle de la vie végétale. En effet on sait d'une façon certaine qu'avec la découverte de l'agriculture, la Terre est apparue comme une divinité périodiquement fécondée par le Ciel par l'intermédiaire de la pluie. A partir de cet instant, le rôle du Ciel est terminé et c'est elle qui nourrit les semences déposées en son sein ; elle engendre la végétation. D'où la Triade chtonico-agraire : Ciel-Terre-Végétation. Dans certains pays, comme l'Égypte, celle-ci a fini par s'identifier à une Triade de demi-dieux : Osiris-Isis-Horus. L'assimilation du rôle de la Terre dans la naissance de la végétation à celui de la femme dans la naissance de l'enfant est évidente. Elle a pu aider à la formation des idées des peuples méridionaux relativement à l'hérédité biologique telle qu'elle est décrite plus haut. Celles-ci, à leur tour ont pu réagir sur les conceptions matriarcales en les renforçant.

CRITIQUE DES THÈSES DE MORGAN ET D'ENGELS
Dans la thèse de Morgan il s'agit de relever deux idées précises qui sont à la base du système.

D'une part, les systèmes de parenté qui lui ont permis de reconstituer l'histoire de la famille, ne correspondent pas à l'interprétation qu'il en donne ; ils reflètent purement et simplement les relations sociales des peuples chez qui ils sont en vigueur.

D'autre part, il a bien dégagé la signification sociologique du clan totémique fondé sur le matriarcat, mais il n'a pas pu établir le lien logique, de filiation, qui permet de passer de l'un à l'autre, d'affirmer l'universalité du processus qui conduit du matriarcat au patriarcat. Or, aussi longtemps que cette démonstration n'est pas faite, on est en droit de supposer, à la lumière de tout ce qui précède, qu'il s'agit de deux systèmes irréductibles, adaptés à leurs milieux réciproques, et nés de cette dialectique qui lie l'homme à la nature.
Engels n'apporte pas plus d'éclaircissements sur ce processus.

« *Comment et quand s'accomplit cette révolution chez les peuples civilisés, nous n'en savons rien. Elle tombe entièrement dans la période préhistorique. Mais le fait qu'elle s'est accomplie est surabondamment prouvé par les nombreux vestiges du matriarcat réunis notamment par Bachofen ; et avec quelle facilité elle s'accomplit, nous le voyons chez toute une série de tribus indiennes où elle vient de se faire récemment et se fait encore à l'heure actuelle, en partie sous l'influence d'une richesse accrue et d'un genre de vie modifié (migration de la forêt dans la prairie), en partie par l'influence morale de la civilisation et des missionnaires* » (1).

---

(1) Engels, op. cit., pp. 52-53.

Dans les chapitres suivants, on verra qu'il faut distinguer l'évolution d'un peuple particulier qui, sous l'influence de facteurs extérieurs, change de système de filiation sans changer de conditions matérielles de vie. D'après cette citation de Engels on voit que le processus dont il est question est postulé, mais son existence n'est pas démontrée.

Il est nécessaire de souligner que l'historicité des différentes formes de famille n'est pas mise en doute, chacune d'elles évolue constamment ; il est à peu près certain aussi que le mariage par groupes que mentionnent Engels et Morgan a existé, mais il n'est ni à l'origine du « système de parenté » de Morgan, ni à l'origine de la filiation matrilinéaire.

« *Dans toutes les formes de la famille par groupes, on ne peut savoir avec certitude qui est le père d'un enfant mais on sait qui est sa mère. Quoique celle-ci appelle ses enfants tous les enfants de la famille commune et ait envers eux des devoirs maternels, elle n'en distingue pas moins ses propres enfants parmi les autres. Il est donc évident que partout où existe le mariage en groupes, la descendance ne peut se démontrer que du côté maternel, et que par suite la filiation féminine est seule reconnue. C'est effectivement le cas chez tous les peuples sauvages et appartenant au stade inférieur de la barbarie ; l'avoir découvert le premier est le deuxième grand mérite de Bachofen* » (1).

Le postulat sur lequel le système est bâti — comme on le voit d'après les citations antérieures et celle-ci — est que toutes les nuances de parenté objective sont, primitivement, rendues par le langage. Celui-ci n'enregistre que des liens qui ont réellement existé à un moment donné. On ne comprendrait pas alors pourquoi, dans le cas du mariage par groupes, la mère, sachant pertinemment que les autres enfants ne sont pas les siens, les appelle pourtant ses enfants. Ici le langage trahit volontairement la réalité et n'exprime pas la parenté réelle, mais une parenté sociale ; et le fait est d'autant plus grave que cette sorte d'altération due à la société remonte à l'époque la plus primitive, celle du « *stade inférieur de la barbarie* ». Dès l'origine la société introduit donc insidieusement des causes d'erreurs et le système dont l'objectivité semblait garantie est vicié à la base ; il a besoin, pour s'édifier, de confondre d'abord toutes les mères, de les rendre communes, pour justifier une

---

(1) Engels, op. cit., pp. 30-31.

forme d'appellation : la tante appelée mère par les enfants de sa sœur ; il a besoin, dans une seconde opération, de distinguer ces mères pour rendre compte de la filiation matrilinéaire.

Cette contradiction qui réside dans ses fondements n'a pas été surmontée correctement, mais a été étouffée, écrasée par l'édifice théorique. Il semble plutôt que le système de parenté dont la découverte par Morgan parut si importante, ne traduise que des relations purement sociales. S'il en était autrement, on se demanderait pourquoi il n'a pas survécu sous forme de traces, si ténues soient-elles, dans le berceau nordique, chez les prototypes des indo-européens dont nous connaissons les traditions mythologiques et l'histoire avec certitude (Grecs, Romains, Germains). Aussi loin qu'on remonte dans le passé indo-européen, fût-ce jusqu'aux steppes eurasiatiques, on ne trouve que le *genos* patrilinéaire avec le système de parenté qui caractérise, aujourd'hui encore, leurs descendants.

Il est difficile de soutenir qu'à cette époque des steppes les indo-européens étaient déjà trop évolués pour conserver le système de parenté trouvé chez les Indiens d'Amérique, en Afrique et en Inde, qu'ils avaient déjà franchi le « *stade inférieur de la barbarie* » et que, par conséquent, ils ne devaient plus conserver ce système de parenté même à l'état de traces. On pourrait alors se demander comment il a pu subsister chez les bâtisseurs d'empires de l'Afrique Noire : l'empire de Ghana a duré du IIIe siècle jusqu'en 1240, il a donc précédé de cinq cents ans l'empire de Charlemagne, il avait soumis les Berbères d'Audaghost qui lui payaient tribut. L'organisation sociale et politique qui y régnait sera décrite dans les chapitres suivants. Sa renommée s'étendait jusqu'en Asie. Or le système de parenté qui régnait à Ghana et aujourd'hui encore chez les Sarakollé, descendants des empereurs, est celui décrit par Morgan, bien qu'ils se soient convertis à l'Islam. Ghana, en 1240, fit place à l'empire du Mali à propos duquel Delafosse écrit :

« *Cependant Gao avait recouvré son indépendance entre la mort de Gongo-Moussa et l'avènement de Souleîmân et, un siècle plus tard environ, l'empire Mandingue (le Mali) allait décliner sous les coups du Songoî, tout en conservant assez de puissance et de prestige pour que son souverain traitât d'égal à égal avec le roi du Portugal, alors à l'apogée de sa gloire* » (1).

Le système Iroquois de Morgan a également survécu — et

_____

(1) Delafosse : op. cit., p. 62.

jusqu'à nos jours — chez les Mandingues du Mali, alors qu'il aurait déjà disparu chez les Indo-Européens des steppes qui avaient atteint le « stade supérieur de la barbarie » au-delà duquel il ne doit plus exister parce qu'on entre dans la civilisation.

Il résulte donc de ce qui précède qu'on ne doit pas le lier à l'état plus ou moins arriéré, au degré d'évolution des sociétés. Il est caractéristique qu'on ne le trouve d'une façon certaine que chez les populations méridionales et agricoles (Afrique Noire, Dekkan, Mélanésie, Amérique précolombienne). On sait que la population de l'Amérique est venue d'ailleurs puisqu'on n'y trouve pas d'hommes fossiles. Il n'est donc pas universel ; il ne peut être considéré comme tel que si l'on comble les vides par des postulats. Il apparaît manifeste que, comme le matriarcat, il relève d'un système d'organisation politique et sociale, d'un genre de vie sédentaire et agricole, irréductible au genre de vie nordique nomade.

Comme il est dit plus haut, ce système n'a qu'une signification sociale. Lorsqu'un Valaf ou un Africain quelconque appelle père ou mère le frère de son père ou la sœur de sa mère, il sait qu'ils leur sont substituables en cas de décès, de maladie ou de défaillance. La structure de la société africaine — telle qu'elle sera décrite plus loin — exige cette assimilation des oncles et tantes aux vrais parents. Il en découle un ensemble d'obligations réciproques que Delafosse n'a pas manqué de relever :

« *Aussi a-t-on pu dire à juste titre qu'il n'y a pas d'orphelin chez les Noirs. On pourrait ajouter qu'il n'y a pas non plus de veuves, ou tout au moins de veuves exposées à la misère, puisque la veuve retourne dans sa famille et reste à la charge de celle-ci tant qu'elle n'est pas remariée, à moins qu'elle ne fasse partie, ainsi qu'il arrive souvent, de la succession de l'époux défunt, et ne tombe à la charge de l'héritier de celui-ci* » (1).

En réalité on introduit souvent une nuance pour souligner qu'il ne s'agit pas du vrai père ou de la vraie mère. Un Valaf appellera toujours le frère de son père *Bây-bu-ndav* = petit père. Il dira de même *Yây-dju-ndav* = petite mère. Ces expressions n'ont pour lui qu'une valeur sociale. (2)

Il est caractéristique que Morgan n'ait jamais pu relever aucune coïncidence entre son système de parenté et la parenté réelle qui existe dans les familles où il le décèle. Chez les Iro-

_____

(1) Delafosse : op. cit., pp. 142-143.
(2) Elles désignent les parents « secondaires ».

quois la correspondance avec la famille dite syndyasmique fait défaut : c'est à Hawaï en Polynésie, dans la famille dite puna-luenne, qu'il trouve le type correspondant au système de parenté iroquois.

« *Mais, chose étonnante, le système de parenté qui était en vigueur à Hawaï ne répondait pas non plus à la forme de la famille qui y existait en fait* » (1).

On explique cette contradiction en disant que la famille continue à vivre tandis que la langue s'ossifie et se laisse dépasser par la réalité :

« *Tandis que la famille continue de vivre, le système de parenté s'ossifie, et pendant qu'il se maintient par la force de l'habitude, la famille le dépasse* » (2).

On se demande alors pourquoi on ne peut pas rencontrer un pareil phénomène d'ossification, révélé par le langage, dans le système de parenté indo-européen depuis 4.000 ans.

Le caractère sacré de la mère dans les sociétés sédentaires, agricoles, matriarcales s'adapte mal à l'idée d'une promiscuité primitive antérieure dont elles seraient issues. Partout où celle-ci a existé il semble qu'elle ait conduit directement à l'amazonisme, qu'il ne faut pas confondre avec le matriarcat : cette distinction sera faite ultérieurement.

La facilité de divorce dans les mariages du berceau matriarcal ne peut, en toute objectivité, être considérée comme un signe d'infériorité et d'antériorité, au point de distinguer une famille dite syndyasmique, archaïque, de celle dite monogamique où le divorce est quasi impossible. La facilité de séparation ne doit pas être considérée comme révélatrice de mœurs dissolues, mais comme l'indice du degré d'épanouissement qu'une société accorde à tous ses ressortissants sans distinction de sexe.

La femme africaine, même après le mariage, conserve toute sa personnalité et ses droits ; elle continue à porter le nom de sa famille, contrairement à la femme indo-européenne qui perd le sien pour prendre celui de son mari.

Tels sont donc les traits saillants des deux régimes : matriarcat et patriarcat. Leur caractère exclusif, quant à la filiation et au droit à l'héritage, révèle un choix conscient, systématique et non une impossibilité de choisir découlant de l'indétermina-

---

(1) Engels : op. cit., p. 13.
(2) Engels : op. cit., p. 14.

tion d'une paternité quelconque. Il a été montré que les choses se passent encore ainsi sous nos yeux, dans les deux berceaux et en pleine connaissance de cause. Il n'est donc pas logique d'imaginer un saut qualitatif qui expliquerait le passage de l'un à l'autre. Il semble plus scientifique de considérer les deux systèmes comme irréductibles ; mais, s'il en est ainsi, on doit pouvoir mieux le prouver en retraçant rapidement l'histoire générale de ces deux berceaux et de leurs zones de confluence. Ce sera l'objet du chapitre III.

Piganiol dans sa thèse sur les origines de Rome est formel : ce sont les Indo-Européens nomades des steppes eurasiatiques, Celtes, Germains, Slaves, Achéens, Latins, qui ont introduit l'incinération et le culte du feu en Méditerranée. Les peuples agricoles qui vivaient dans cette région pratiquaient l'inhumation ; aussi n'est-il pas rare de rencontrer les deux rites chez les populations mêlées comme les Pélasges. Il critique l'idée de Fustel de Coulanges qui fait dériver toutes les institutions antiques du culte des morts ; il est ainsi amené à voir dans les deux rites de l'inhumation et de l'incinération deux conceptions différentes de l'au-delà. On verra ci-dessous combien ce point de vue est difficile à soutenir.

« *Du culte des morts dépendent, selon Fustel de Coulanges, toutes les institutions de la cité antique. Or les anciens se divisaient en peuples inhumants et peuples incinérants. N'est-on pas en droit de se demander si les pratiques différentes ne sont pas inspirées par des croyances différentes, si les incinérants et les inhumants ne concevaient pas de façon différente la relation entre les morts et les vivants ? Le problème se pose dans les mêmes termes en Italie et en Grèce : les Ombriens incinérants ont soumis les Ligures inhumants, de même que les Achéens incinérants ont soumis les Minoens inhumants* ....

« *Ce sont les envahisseurs venus de l'Europe de l'Est et du centre qui ont introduit dans le monde méditerranéen et dans l'Europe Occidentale le rite de l'incinération : Ombriens, Achéens, Celtes, ce sont les mêmes peuples qui apportaient les langues indo-européennes ; à la persistance du rite de l'inhumation on mesure la résistance du fond méditerranéen* ....*

Les Pélasges qui sont un peuple mêlé pratiquaient les deux rites. Une légende infiniment précieuse nous rend sensibles les embarras des consciences de ce temps. Pollis et Delphos conduisirent en Crète une colonie mixte de Pélasges tyrrhéniens et de Laco-

niens ; les colons après une période d'incertitude se divisèrent en fidèles de la tradition minoéenne et en adeptes du nouvel évangile ...

« Les premiers colons albins pratiquent l'incinération attestée par le niveau supérieur des tombes du Forum ; la légende sait que Numa refusa d'être incinéré. Le rite sabin aurait peut-être triomphé sans l'invasion ombro-étrusque de la fin du VIᵉ siècle ...

« Entre les deux rites les cas de contamination sont fréquents...

« Ainsi, bien qu'à l'époque historique l'incinération et l'inhumation aient été pratiquées simultanément, ces deux coutumes dérivent de pratiques de deux mondes distincts, le monde pastoral nordique qui incinérait ses morts, le monde agricole méditerranéen qui les inhumait » (1).

Nous sommes parfaitement d'accord avec cette conclusion qui est l'une des idées fondamentales de notre thèse. On ne peut pas souligner avec plus de netteté l'origine nomade de l'incinération et l'origine agricole sédentaire de l'inhumation. Mais contrairement à l'opinion de Piganiol, nous pensons qu'il s'agit, non pas de deux croyances différentes sur la vie d'outre-tombe, mais d'une même pensée religieuse — le culte des Ancêtres — interprétée par des Nomades et par des Sédentaires.

L'auteur n'a pas cherché la cause matérielle qui empêchait les nomades de vouer un culte à des tombeaux fixes ; il se serait rendu compte que l'incinération était le seul moyen, pour un peuple sans domicile, de transporter les cendres de ses aïeux et de leur vouer un culte. Il se serait mis d'accord alors avec Fustel de Coulanges qui relate le culte des ancêtres chez les anciens sans trop insister sur ses deux variantes.

Le tombeau et la statuaire sont des non-sens dans la vie nomade ; leur absence s'explique logiquement, au lieu de traduire des dispositions intellectuelles particulières. Ainsi, au lieu de croire que ce sont les conditions matérielles qui ont imposé deux formes différentes à une même pensée religieuse, Piganiol soutient qu'il s'agit de deux conceptions fondamentalement distinctes :

« Ces rites paraissent correspondre à deux croyances différentes relatives à la vie d'outre-tombe..

L'inhumant vit dans une horreur constante, l'incinérant fait songer presque à un libre penseur. Ces croyances si distinctes ne se laissent pas embrasser par une formule commune ; de chacune

(1) Piganiol : Les origines de Rome, Librairie Fontemoing, Paris, 1916. Chap. I, pp. 87 à 91.

d'elles ne pouvait dériver le même système d'institution. Le postulat de Fustel de Coulanges n'est-il pas déjà ébranlé ? Il faudrait à vrai dire, qu'une étude attentive des religions comparées confirmât nos conclusions. Observons dès maintenant qu'on retrouve dans le Rig-Veda cette libre pensée achéenne ou homérique, telle que Rohdes a su la restituer. Le Brahmaniste se rit des fantômes ; la crémation confie le mort à Ahgni pour qu'il le porte au monde des ancêtres, et l'urne est simplement déposée dans un bois, la plupart du temps sans monument funèbre. Chez les Juifs il semble bien qu'on retrouverait les deux types de croyances que nous avons définis...... Nous pensons qu'on aurait une réponse satisfaisante si on admettait que les Cananéens pratiquaient le culte des ancêtres selon des rites analogues aux rites chtoniens, et que les Israélites nomades ont apporté sinon l'incinération, du moins une coutume différente à l'égard des morts, analogue à l'indifférence achéenne ou brahmaniste » (1).

L'opposition entre Cananéens sédentaires agricoles et Israélites nomades est celle-là même que nous avons faite ; elle vient confirmer la thèse développée quant à la zone de confluence des deux berceaux. Mais il faut exposer entièrement le point de vue de Piganiol sur les religions nordiques et méridionales avant de le critiquer.

« On doit à l'école des philologues anglais une interprétation de la religion grecque très subtile, séduisante et contestée. La religion grecque serait née de la fusion de cultes chtoniens et de cultes ouraniens. Les ouraniens, dieux de la volonté claire, sont l'objet d'une tsrapsia ; on leur rend des honneurs dans l'attente d'un bienfait. Les chthoniens au contraire sont des esprits impurs que le culte a pour fin d'écarter ....
« Le duel entre religions chtoniennes et ouraniennes correspond à la guerre entre les Pélasges et les envahisseurs nordiques, peuples dont la fusion a produit la Grèce classique ....
...opposition entre le culte du feu nordique et le culte de la pierre méditerranéen.
Les peuples qui adorent le ciel ont l'idée d'une parenté entre le feu du foyer, l'atmosphère, le feu solaire. Par le véhicule du feu, les offrandes qu'on brûle se dispersent à travers l'éther qui est le grand dieu partout épars ; et ce dieu invisible se condense, devient sensible dans la flamme. Les peuples qui adorent la terre communi-

---

(1) Piganiol : op. cit., pp. 90 et 91.

quent avec leurs divinités en portant leurs offrandes dans des grottes, en les précipitant dans des abîmes, en les laissant lentement enliser par les marais ....

« *Une tradition enseigne que le culte du feu confié par Romulus à des prêtres, passa plus tard à des prêtresses par la volonté du sabin Numa ....*

« *Ce sont les envahisseurs nomades, peuples pastoraux, qui auraient introduit le culte du feu. Le sacrifice par le feu est inconnu à Athènes avant Cécrops, qui est aussi le premier à donner à Zeus le titre de Très Haut ....*

Les peuples qui ont introduit dans le bassin Méditerranéen le culte du feu ont en même temps travaillé à évincer des superstitions farouches » (1).

Cette dernière opinion est certainement exagérée. Après le triomphe de l'élément nordique, à l'époque classique à Rome il y avait plus de divinités que de citoyens : Fustel de Coulanges a eu justement soin de les dénombrer. L'ensemble du texte cité reflète nettement la tendance persistante chez beaucoup d'écrivains occidentaux à ériger en qualités supérieures tout ce qui est nordique. On retrouve, en effet, l'opposition classique de la religion des grottes, des marais et celle de la volonté claire du ciel.

Il faut dire d'abord que rien n'est plus douteux que l'attribution d'une religion céleste ou solaire à l'élément indo-européen à l'exclusion de tout autre peuple. Selon toute vraisemblance, une telle religion devrait être l'apanage du Midi où le soleil brille franchement, où le ciel est réellement clair. C'est dans le ciel méditerranéen et non dans le ciel nordique que devrait régner un Zeus, dieu de la lumière.

Plusieurs arguments permettent de justifier cette façon de voir. RA est bien un dieu solaire du Midi. Par contre Grenier est amené à constater l'absence d'une divinité solaire dans la religion romaine, ce qui lui paraît pour le moins inattendu, après toutes les considérations qu'il a faites sur l'étymologie de Zeus ; mais à propos de celle-ci, il faut se reporter à la page 182 pour se rendre compte qu'elle est extrêmement douteuse et discutable !

« *Le soleil et la lune ont réglé le calendrier romain ; les noms de Sol et de Luna n'y apparaissent cependant pas. Le Sol Indiges*

_____

(1) Piganiol : op. cit., chap. II, pp. 93 à 101.

de Rome qui avait son temple sur le Quirinal serait un dieu de Lavinium ; Luna avait sur l'Aventin un temple qui aurait été fondé par Servius Tullius, mais il faut attendre l'empire et les influences étrangères pour trouver le développement de ces cultes. Ils sont probablement représentés dans l'ancienne religion romaine par des noms sous lesquels on ne les a pas encore reconnus » (1)

Dans la mesure où le calendrier romain est une adaptation du calendrier égyptien, il n'est pas étonnant qu'on y trouve les termes de Lune et de Soleil. Malgré la constatation qu'il vient de faire — celle de l'absence d'une divinité solaire authentique chez les Romains — Grenier n'en écrit pas moins, mais, disons-le, sans trop de conviction :

« Dans l'ensemble, les divinités du ciel seraient indo-européennes ; celles de la terre, au contraire, divinités du sous-sol et des grottes représenteraient les avatars de la Terre Mère, la grande divinité méditerranéenne primitive : culte ouranien d'une part, culte chthonien d'autre part (1). »

En réalité ce que l'on sait de plus certain sur les croyances nordiques, Grenier l'a résumé : c'est leur caractère vétuste. Il y a une sorte d'indigence de la pensée religieuse. Les documents sont rares et relativement récents.

« Les plus anciens documents que nous possédions sur la religion indo-aryenne, les poèmes du Rig-Veda, ne datent que du VIe siècle avant J.-C.

« La religion grecque telle que nous la rencontrons chez Homère permet de remonter un peu plus haut, mais cette religion apparaît fortement mêlée d'éléments étrangers au monde indo-européen. Les religions des Celtes et des Germains ne nous sont connues que pour une époque avoisinant notre ère. Les renseignements que nous possédons sur les anciennes religions des Lithuaniens et des Slaves ne remontent guère qu'au XVIe siècle de notre ère, dus en totalité aux pasteurs qui leur enseignèrent le christianisme. C'est de la comparaison entre ces indications si diverses que peut se déduire une idée de la religion des indo-européens avant leur séparation aux environs de l'an 2000 » (2).

Il ressort de cette étude comparative que le culte du feu

_____

(1) Grenier : op. cit., p. 88.
(2) Grenier : op. cit., pp. 85 et 86.

était commun à tous les Indo-Aryens jusqu'aux Prusso-Lithuaniens du xvie siècle.

« *On doit donner à ces éminents Brahmanes du riz en même temps que des présents, dans l'enceinte consacrée à l'offrande au feu* » (1).

A toutes les raisons qu'on a invoquées pour expliquer le culte du feu, on peut préférer celle qui a été déjà proposée : dans le froid glacial nordique, le dieu bienfaiteur par excellence est le feu ; grâce à son utilité incomparable sous ces latitudes, l'âme primitive nordique ne tarda pas à lui rendre un culte. Telle serait la base matérielle qui aurait donné naissance par la suite à une superstructure religieuse.

Il ressort donc de l'étude de Piganiol, de celle de Grenier et des Lois de Manou que l'incinération et le culte du feu relèvent d'une tradition spécifiquement indo-européenne, tradition qui se perpétue de nos jours jusque dans des consciences qui en ont oublié l'origine : la flamme du souvenir, les flambeaux olympiques, les associations dont les membres, bien que chrétiens, se font incinérer, s'expliquent probablement à partir de cette tradition aryenne. Il est vraisemblable que certains Européens ne se feraient pas incinérer aujourd'hui, même pour des raisons d'hygiène, s'ils ne tenaient pas déjà cette tradition de leurs ancêtres aryens. Il est remarquable de constater que l'incinération est le trait ethnologique, culturel, absolument distinctif du monde aryen et du monde méridional, africain en particulier. Il est impossible de relever un seul cas authentique d'incinération en Afrique Noire, depuis l'antiquité jusqu'à nos jours. C'est là un fait qui n'a jamais été suffisamment souligné.

---

(1) Lois de Manou : Livre XI « Pénitence et Expiation » (traduit par Loiseleur Deslongchamps, 1843.

CHAPITRE III

Histoire du Patriarcat et du Matriarcat

BERCEAU MÉRIDIONAL, BERCEAU NORDIQUE ET ZONE DE CONFLUENCE

Il ne s'agit pas à proprement parler de résumer, même brièvement, l'histoire des trois berceaux, ceci ne présenterait guère d'intérêt pour le but poursuivi. La méthode qui sera appliquée consiste à choisir, dans chaque berceau, les faits historiques saillants de nature à prouver que celui-ci est bien caractéristique de tel ou tel système.

BERCEAU MÉRIDIONAL On limitera son étude à l'Afrique pour circonscrire le sujet à des faits probants. En effet, l'Afrique est le continent méridional qui est le moins transformé par les influences extérieures. La pénétration arabe a été arrêtée vers le sud par la forêt à cause de la mouche tsétsé qui tue les chevaux ; les premières expéditions qui aient atteint le cœur de l'Afrique, celles de Livingstone et de Stanley sont postérieures à 1850.

ÉTHIOPIE

Il s'agit de l'Éthiopie décrite par Hérodote et Diodore de Sicile et dont la capitale antique, Méroé, située près du confluent du Nil blanc et du Nil bleu a été découverte par Cailliaud sous la Restauration. Son emplacement correspond approximativement au Soudan actuel ; on l'appela aussi Nubie et Pays de Sennâr. L'Éthiopie actuelle, dont la capitale est Axoum, n'en était qu'une province périphérique.

L'Éthiopie est le premier pays du monde qui fut gouverné par une reine — après l'Égypte qui connut Hatshepsout à la XVIIIᵉ dynastie et dont le règne sera étudié au chapitre VI. Il y eut d'abord la reine semi-légendaire de Saba, contemporaine de Salomon, Roi des Hébreux, vers l'an mil. Nous avons très peu de documents concernant son règne et sa vie. Un passage laconique de la Bible nous apprend qu'elle a rendu visite à Salomon dont on lui avait vanté la sagesse, qu'elle lui a apporté des présents ; la visite n'a pas duré longtemps, à peine quelques jours et la reine repartit vers ses États chargée de cadeaux offerts par Salomon. Aucun document historique ne permet d'affirmer son mariage avec Salomon, la Bible n'y fait même pas allusion. Les historiens se demandent parfois si elle a régné en Éthiopie proprement dite ou en Arabie Heureuse qui serait alors le véritable Pays de Saba. Mais, jusqu'à la naissance de Mahomet, l'Arabie méridionale est inséparable de l'Éthiopie ; leur destinée historique fut commune, la suzeraineté de l'Éthiopie sur l'Arabie fut à peine interrompue par moments ; elle est attestée par un verset du Coran intitulé « les Éléphants ». Mahomet y raconte comment l'armée éthiopienne, envoyée du continent africain, pour aller réprimer une révolte des Arabes du Yémen contre le gouverneur éthiopien Abraha, fut détruite par les « Messagers du Ciel » bien que forte de 40.000 hommes. Chaque soldat reçut alors au sommet de son casque un projectile miraculeux qui le traversa de part en part avec sa monture. On admet communément que l'armée éthiopienne a du être détruite par une tempête de sable ou une épidémie de peste qui se serait déclarée en cours de route.

Il apparaît donc, d'après les minces documents historiques que nous possédons, que c'est davantage à l'Éthiopie et non à l'Arabie « Sabéenne » qu'il faut rattacher la Reine de Saba.

Quoi qu'il en soit, il est notable, qu'au premier millénaire avant notre ère, c'est-à-dire à une époque qui se situe entre la Guerre de Troie et Homère, les pays méridionaux pouvaient déjà être gouvernés par des femmes.

Le règne de la Reine Candace fut véritablement historique. Elle est contemporaine de César-Auguste à l'apogée de sa gloire. Celui-ci, après avoir conquis l'Égypte, poussa ses armées à travers le Désert de Nubie jusqu'aux frontières de l'Éthiopie. D'après Strabon, elles étaient commandées par le Général Pétrone. La Reine prit elle-même le commandement de son armée ; à la tête de ses troupes elle chargea les soldats romains comme le fera plus tard Jeanne d'Arc contre l'armée anglaise. La perte d'un œil au combat ne fit que redoubler son courage. Cette résistance héroïque impressionna toute l'Antiquité classique, non pas parce que la Reine était une négresse, mais parce qu'il s'agissait d'une femme : on n'était pas encore habitué dans le monde indo-européen à l'idée d'une femme jouant un rôle politique et social.

Strabon rapporte que César-Auguste qui se reposait alors sur une île de la Méditerranée, à Rhodes, donna satisfaction entière à la délégation que la Reine lui avait mandatée. Cette résistance glorieuse est restée dans la mémoire des Soudanais ; le prestige de Candace fut tel que toutes les reines postérieures ont porté génériquement le même nom.

Hérodote rapporte que les Éthiopiens Macrobiens sont les plus beaux et les plus grands de tous les hommes. Ils sont doués d'une santé à toute épreuve ; en leur appliquant le qualificatif de Macrobiens il veut faire allusion à leur longévité. Le Roi était choisi parmi les plus forts. L'abondance des ressources alimentaires y est symbolisée par ce qu'Hérodote et la légende appellent « la Table du Soleil » : la nuit, des émissaires du Roi déposent discrètement une quantité de viande bien cuite sur un gazon réservé à cet usage. Au lever du Soleil n'importe quel ressortissant du peuple peut venir profiter de cette nourriture offerte gratuitement et anonymement. Les prisonniers étaient retenus par des chaînes d'or. On comprend les raisons matérielles qui retenaient les Éthiopiens dans leur berceau et les empêchaient de devenir des conquérants. En effet — toujours d'après Hérodote — lorsque Cambyse conquit l'Égypte (—525), il voulut traverser le Désert de Nubie, mais faillit y laisser la vie. Il envoya alors des Éthiopiens « ichtyophages » comme espions auprès du roi ; celui-ci éventa le complot et fit la morale à Cambyse par l'intermédiaire de ses agents dans les termes suivants :

« Dites au Roi des Perses qu'Amon n'a pas mis dans le cœur des Éthiopiens le dessein d'aller conquérir des terres étrangères ; mais qu'il se garde bien de venir les attaquer tant qu'il ne pourra pas bander cet arc. »

D'après le même auteur le respect de la personnalité était tel que lorsqu'un Nubien était condamné à mort, on lui donnait l'ordre de se supprimer tout seul chez lui. Si alors il cherchait à quitter secrètement le pays, Hérodote rapporte que c'est sa propre mère qui le surveillait et se chargeait de le mettre à mort avant qu'il ait pu exécuter son projet. Bien sûr la condamnation était justifiée par un crime contre l'humanité et la société et c'est la raison qui obligeait la mère — et jamais le père qui semble n'y avoir pas droit — à supprimer son fils.

Tous ces récits, plus ou moins semi-légendaires, rapportés par Hérodote ne sont importants que dans la mesure où ils reflètent malgré tout les mœurs et coutumes en usage dans le pays à l'époque de l'auteur. S'il n'en était pas ainsi on n'aurait pas pu les inventer de toutes pièces.

ÉGYPTE

Elle est l'un des pays de l'Afrique où le matriarcat fut le plus manifeste et le plus durable. On a pu déterminer, en effet, par des calculs astronomiques avec une rigueur mathématique, que 4.241 ans avant notre ère, le calendrier était déjà en usage en Égypte. Cela veut dire que les Égyptiens étaient arrivés à acquérir des connaissances scientifiques théoriques ou pratiques suffisantes pour inventer un calendrier dont la périodicité est de 1.461 ans. C'est l'intervalle de temps qui sépare deux levers héliaques de Sothis ou Sirius : tous les 1.461 ans, Sirius et le Soleil se lèvent simultanément sous la latitude de Memphis. Il est probable que ce chiffre a été fixé par des calculs plutôt que par expérience, c'est-à-dire, par observation. On s'imagine, en effet, difficilement, quarante-huit générations se léguant leurs observations célestes pour que, au bout de la période précitée, la quarante-huitième génération à une aube précise, s'apprête à assister, pour la première fois, au lever héliaque de Sothis. Ceci supposerait, du reste, des archives astronomiques écrites, avec une chronologie précise, à l'intérieur de la période considérée comme préhistorique. Quoi qu'il en soit, le mythe d'Isis et d'Osiris est antérieur à cette date, puisqu'il est à l'origine de la nation égyptienne. Donc dès cette époque reculée — et jusqu'à la fin de l'histoire égyptienne — le mariage entre frère et sœur est resté en vigueur dans la famille royale, puisque Isis et Osiris sont, à la fois, époux et frère et sœur. Pendant cette longue période, unique par sa durée dans les annales historiques du monde, l'Égypte aura connu tous les raffinements de la civilisation, aura initié tous les jeunes peuples de la Méditerranée, sans que sa structure sociale cesse d'être foncièrement matriarcale. On peut donc s'étonner légitimement qu'il n'y ait pas eu passage du matriarcat au patriarcat.

Le caractère agraire et matriarcal de la société égyptienne pharaonique est suffisamment exprimé dans le mythe d'Isis et d'Osiris. D'après Frazer, Osiris est le dieu du blé, l'esprit de l'arbre, le dieu de la fertilité :

« *L'examen du mythe et du rituel d'Osiris qui précède peut suffire à prouver que, sous l'un de ses aspects, le dieu était une personnification du blé, dont on peut dire qu'il meurt et revient à la vie chaque année. A travers toute la pompe et l'auréole dont les prêtres plus tard revêtirent son culte, la conception d'Osiris comme dieu du blé ressort clairement dans la fête de sa mort et de sa résurrection, que l'on célébrait au mois de Khoiak et, à une période ultérieure, au mois d'Athyr. Cette fête paraît avoir été essentiellement une fête des semailles, qui tombait justement à la date où le paysan confiait les graines à la terre. A cette occasion, on enterrait avec des rites funéraires, une effigie du dieu du blé, faite avec de la terre et du blé ; on espérait qu'en mourant là, il pourrait revenir à la vie avec la nouvelle récolte. La cérémonie était, en fait, un charme, destiné à faire pousser le blé par magie sympathique* » (1).*

L'auteur décrit ensuite la cérémonie identifiant Osiris à l'arbre : à l'intérieur d'un pin évidé, on plaçait le corps modelé d'Osiris avec de la matière ligneuse. L'auteur pense que c'est sans doute la contrepartie rituelle de la découverte légendaire du corps d'Osiris enfermé dans un arbre. Il décrit ensuite la Fête du Djed qui se terminait le 13 Khoiak par l'érection d'un pilier qui n'était autre chose qu'un arbre aux branches coupées : cette érection symboliserait la résurrection d'Osiris, car, dans la théologie égyptienne on interprétait le pilier comme étant la colonne vertébrale d'Osiris.

Isis, selon Frazer, était à l'orine, une déesse de la fécondité. Elle est la grande et bienfaisante Déesse-Mère dont l'influence et l'amour règnent partout, aussi bien chez les vivants que chez les morts. Elle est, à l'instar d'Osiris, la Déesse du blé dont elle aurait inventé la culture :

« *Isis doit sûrement avoir été la déesse du blé. En effet, il existe bien des raisons qui justifient cette appréciation. Diodore de Sicile, dont l'autorité paraît avoir été l'historien Manéthon, attribuait à Isis la découverte du blé et de l'orge ; on portait en procession à ses fêtes des tiges de ces céréales pour commémorer le don qu'elle avait fait aux hommes. Saint Augustin ajoute un autre détail : Isis aurait découvert l'orge au moment où elle offrait un sacrifice aux ancêtres de son époux, qui étaient également les siens et qui*

---

(1) James George Frazer : Atys et Osiris, étude de religions orientales comparées. Librairie Orientaliste, Paul Guthner, 1926, (p. 117).

tous avaient été des rois ; elle montra les épis nouvellement décou-
verts à Osiris et à son conseiller Thot (ou Mercure comme l'appe-
laient les écrivains romains). C'est pourquoi, ajoute saint Augustin,
on identifie Isis et Cérès » (1).

On trouve ici une sorte de confirmation par la légende de la
tradition qui attribue aux femmes un rôle actif dans la découverte de l'agriculture.

A l'époque des moissons les Égyptiens se livraient à des
lamentations en l'honneur de l'esprit du blé fauché, c'est-à-
dire, en l'honneur d'Isis créatrice de la verdure, Dame du pain,
Dame de la bière, Maîtresse de l'abondance, personnifiant le
champ de blé. Frazer voit la preuve de cette identification dans
l'épithète Sochit donnée à Isis et qui signifie encore, en copte,
champ de blé.

Les Grecs l'identifiaient également à Déméter et la considéraient comme la déesse du blé. C'est elle qui a donné naissance
aux « fruits de la terre ».

Le fondement du Mystère d'Isis et d'Osiris est donc, essentiellement, la vie agraire.

La monogamie était de règle à l'origine, puisqu'Osiris n'avait
qu'une seule femme, Isis, dont le nom est une altération du terme égyptien Sait ou Sît. Il est intéressant de remarquer, au passage, que ces deux termes, dans une langue africaine, le valaf,
signifient « la nouvelle mariée », l'épouse.

Set, frère d'Osiris, est également monogame ; sa femme —
qui est aussi sa sœur — est Nephtys.

Jusqu'à la fin de l'histoire égyptienne, le peuple est resté
monogame. La famille royale et les dignitaires de la Cour, seuls,
ont pratiqué la polygamie, à des degrés différents selon leur
fortune. Celle-ci est apparue comme un luxe qui s'est greffé
sur la vie familiale et sociale au lieu d'en être le fondement
primordial. Elle a existé en Égypte, tout comme en Grèce au
temps d'Agamemnon, en Asie et dans l'aristocratie germanique
à l'époque de Tacite ; on pourrait aussi citer des exemples dans
les Cours Royales occidentales des Temps Modernes.

Le mariage avec la sœur est une conséquence du droit matrilinéaire. On a déjà vu que, dans le régime agricole, le pivot
de la société est la femme ; c'est elle qui transmet tous les droits,
politiques et autres, car c'est elle l'élément fixe, l'homme pouvant être relativement mobile : il peut voyager, émigrer, etc...

––––––––––

(1) Frazer, op. cit., pp. 133-134.

pendant que la femme élève les enfants et les nourrit. Il est donc normal que ceux-ci tiennent tout d'elle et non pas de l'homme qui, même dans la vie sédentaire, garde un certain nomadisme. A l'origine, dans chaque clan, c'est à l'élément féminin — et à lui seul — que revenait l'ensemble de l'héritage. Il semble que le souci d'éviter des querelles de succession entre cousins — c'est-à-dire, fils de frères et sœurs — ait amené ceux-ci, dans le cadre de la famille royale, à perpétuer l'exemple du couple royal originel, Isis et Osiris. En effet, imaginons un frère et une sœur descendant d'un couple royal et qu'ils se marient, à l'extérieur de leur propre famille, avec une princesse et un prince. D'après le droit matrilinéaire seul l'enfant de la sœur peut régner dans le pays ; celui du frère régnera dans le pays de sa mère si le droit matrilinéaire y est en vigueur ; si c'est le contraire, il n'aura pas de trône, à moins de l'usurper dans l'un des deux pays. En épousant sa sœur, le pharaon conservait le trône dans la même famille et éliminait en même temps les litiges de succession.

Le Pharaon qui épouse sa sœur est, en même temps, l'oncle de son fils. Or, dans le régime matrilinéaire, seul le neveu hérite de l'oncle maternel et ce dernier a droit de vie et de mort sur lui. Par contre, ses propres fils n'héritent pas de lui et, lui-même, n'appartient pas à la famille de sa femme. Tous ces inconvénients sont éliminés grâce à ce qu'on a appelé « l'inceste royal ». C'est le seul exemple de famille méridionale, à base matrilinéaire et dans laquelle l'homme et la femme appartiennent à la même famille ; c'est un type spécifique à l'intérieur du matriarcat et qui se justifiait par les intérêts supérieurs de la nation liés à la cohésion de la famille royale. On entrevoit la possibilité d'une explication du cas de la Reine Hatchepsout qui sera donnée au chapitre IV.

Dans le mariage, l'homme apporte la dot à la femme. Cette dernière, durant toute l'histoire égyptienne pharaonique, jouissait d'une liberté totale qui est à l'opposé de la condition de femme séquestrée de l'indo-européenne des temps classiques, qu'elle soit grecque ou romaine.

On ne connaît pas un témoignage de la littérature ou des documents historiques — égyptiens ou autres — relatant un mauvais traitement systématique des femmes égyptiennes par les hommes. Elles étaient honorées et circulaient librement sans voile contrairement à certaines Asiatiques. L'affection pour la mère et, surtout, le respect dont il fallait l'entourer étaient le plus sacré des devoirs. Ceci est consigné dans un texte égyptien très connu :

« *Quand tu es né, elle (ta mère) s'est faite esclave de toi réelle-*
ment ; les tâches les plus ingrates ne rebutaient pas son cœur
au point de lui faire dire : « Qu'ai-je besoin de m'imposer cela ? »
Quand tu allais à l'école pour t'instruire, elle s'installait près de
ton maître, apportant chaque jour les pains et la bière de la maison.
Et maintenant que tu es grand, que tu te maries, que tu fondes
une famille à ton tour, aie toujours présents aux yeux tous les soins
que ta mère a pris de toi, afin qu'elle n'ait rien à te reprocher et ne
lève pas ses mains vers le dieu, car il exaucerait sa malédiction ».

On pourrait opposer à ces conseils donnés au jeune égyptien
la conduite de Télémaque donnant des ordres à sa mère Péné-
lope, faisant véritable figure de maître de maison en l'absence
d'Ulysse, ou celle d'Oreste tuant sa mère Clytemnestre pour
venger son père.

LIBYE

Quel que fût le peuplement de la Libye à l'époque préhistorique, à partir du second millénaire et, vraisemblablement aux
environs de — 1500, la région occidentale du Delta du Nil
fut envahie par des peuplades d'Indo-Européens, grands, blonds,
aux yeux bleus, tatoués sur tout le corps, et vêtus de peaux
de bêtes. C'est ainsi que les montrent les documents trouvés
par Champollion à Biban-el-Molouk. Champollion, après avoir
décrit les diverses races d'hommes connues des Égyptiens, telles
qu'il les a vues représentées sur les bas-reliefs du tombeau
d'Ousiréï Ier, arrivant au dernier, écrit :

« *Enfin, le dernier, a la teinte de peau que nous nommons*
couleur de chair ou peau blanche de la nuance la plus délicate,
le nez droit ou légèrement voussé, les yeux bleus, barbe blonde ou
rousse, taille haute et très élancée, vêtu de peau de bœuf conservant
encore son poil, véritable sauvage tatoué sur diverses parties du
corps ; on les nomme Tamhou.
Je me hâtais de chercher le tableau correspondant à celui-ci
dans les autres tombes royales, et, en le retrouvant en effet dans
plusieurs, les variations que j'y observais me convainquirent plei-
nement qu'on a voulu figurer ici les habitants des quatre parties
du monde, selon l'ancien système égyptien, savoir : 1º les habi-
tants de l'Egypte qui, à elle seule, formait une partie du monde,
d'après le très modeste usage du vieux peuple ; 2º les habitants
propres de l'Afrique, les Nègres ; 3º les Asiatiques ; 4º enfin (et
j'ai honte de le dire, puisque notre race est la dernière et la plus

sauvage de la série) les Européens qui, à ces époques reculées, il faut être juste, ne faisaient pas une trop belle figure dans ce monde. Il faut entendre ici tous les peuples de race blonde et à peau blanche habitant non seulement l'Europe, mais encore l'Asie, leur point de départ. Cette manière de considérer ces tableaux est d'autant plus la véritable, que, dans les autres tombes, les mêmes noms génériques reparaissent et constamment dans le même ordre...

....

Il en est de même de nos bons vieux ancêtres, les Tamhou ; leur costume est quelquefois différent ; leurs têtes sont plus ou moins chevelues et chargées d'ornements « diversifiés », leur vêtement sauvage varie un peu dans sa forme ; mais leur teint blanc, leurs yeux et leur barbe conservent tout le caractère d'une race à part. J'ai fait copier et colorier cette curieuse série ethnographique. Je ne m'attendais certainement pas, en arrivant à Biban-el-Molouk, à trouver des sculptures qui pourraient servir de vignettes à l'histoire des habitants primitifs de l'Europe, si on a jamais le courage de l'entreprendre. Leur vue a toutefois quelque chose de flatteur et de consolant, puisqu'elle nous fait bien apprécier le chemin que nous avons parcouru depuis » (1).

Ce sont ces tribus nomades, appelées aussi « peuples de la mer » dans les documents égyptiens, qui s'installeront autour du Lac Triton et qui deviendront les Lebou, ou Rebou ou Libyens. On les appelle aussi quelquefois Tehe nou ; ces termes ne sont pas d'origine indo-européenne : on peut remarquer que *Rebou* = pays de chasse, en valaf (langue sénégalaise), et que *Reb* = chasseur ; dans la même langue africaine, *Tahanou* = pays où l'on trouve du bois mort.

Les Libyens formèrent souvent des coalitions dirigées contre l'Égypte ; la plus importante fut fomentée sous Mernephtah au temps de la XIXᵉ dynastie.

« *Vers le mois d'avril 1222 Mernephtah apprit à Memphis que le roi des Libyens, Meryey, arrivait de la contrée de Tehenou avec ses archers et une coalition des « peuples du Nord » composée de Shardanes, Sicules, Achéens, Lyciens et Etrusques, amenant l'élite des guerriers de chaque contrée ; son but était d'attaquer la frontière occidentale de l'Egypte, dans les plaines de Perir. Le*

---

(1) Champollion le Jeune : Lettres publiées par Champollion-Figeac in. Égypte ancienne (Coll. L'Univers, 1839), pp. 30-31.

danger était d'autant plus sérieux que la province de Palestine était elle-même atteinte par l'agitation ; il semble bien que les Hittites avaient été entraînés dans la tourmente, quoique Merneph-tah eût continué ses bons offices vis-à-vis d'eux, en leur envoyant du blé par ses navires, lors d'une disette, pour faire vivre le pays de Khati... La bataille dura six heures, pendant lesquelles les archers d'Egypte firent un carnage parmi les Barbares : Meryey s'enfuit à toutes jambes, abandonnant ses armes, son trésor, son harem ; on inscrivit au tableau, parmi les tués, 6.359 Libyens, 222 Sicules, 742 Etrusques, des Shardanes et des Achéens par milliers ; plus de 9.000 épées et armures et un grand butin furent capturés sur le champ de bataille. Mernephtah grava un hymne de victoire dans son temple funéraire, à Thèbes, où il décrit la consternation de ses ennemis : chez les Libyens les jeunes disent entre eux à propos des victoires : nous n'en avons pas eu depuis le temps de Ra ; et le vieillard dit à son fils : hélas pauvre Libye ! les Tehenou ont été consumés en une seule année. Et les autres provinces extérieures de l'Egypte furent, elles aussi, ramenées à l'obéissance. Tehenou est dévasté, Khati est pacifié ; le Canaan est pillé, Ascalon est dépouillé, Gazer est saisi, Yanoem est anéanti, Israël est désolé et n'a plus de semences, le Kharou devient comme une veuve sans appui vis-à-vis de l'Egypte. Tous les pays sont unifiés et paci-fiés » (1).

Longtemps après cette défaite, les Libyens cessèrent d'être un danger pour l'Égypte, tant qu'ils n'eurent pas de montures rapides, autres que l'âne.

Mille ans après leur arrivée en Afrique ils sont encore noma-des ; Hérodote décrit leur éparpillement autour du Lac Triton en Cyrénaïque et jusqu'à la banlieue de Carthage. En partant de l'Égypte vers l'Atlantique, on les rencontre dans l'ordre sui-vant : Les *Adyrmachides* sont les premiers, ils sont influencés, par un contact prolongé avec l'Égypte, dans leurs mœurs et coutumes ; viennent ensuite les *Giligames* qui occupent un ter-ritoire allant jusqu'à « l'île Aphrodisias » ; à leur suite sont les *Asbystes* qui habitent au-dessus de Cyrène : ils vivent à l'inté-rieur des terres et sont séparés de la mer par les *Cyrénéens* et se déplacent dans des chars à quatre chevaux ; puis les *Aus-chises* qui habitent au-dessus de Barké : ils possèdent une frac-

(1) A. Moret et G. Davy : Des Clans aux empires, Coll. « L'évolution de l'humanité » (La Renaissance du Livre, 1923), p. 389.

tion du littoral au voisinage des Evhespérides et vers le milieu de leur territoire sont les *Bacales* ; on trouve ensuite les *Nasamons* :

« *Leur coutume est d'avoir chacun plusieurs épouses, mais ils usent des femmes en commun, à peu près comme les Massagètes : ...* » (1).

Viennent encore les *Psylles* qui ont été anéantis dans des circonstances mystérieuses, peut-être par un phénomène naturel d'après Hérodote, comme une tempête de sable. Au-dessus des Nasamons, en allant vers le Sud, on rencontre les *Gamphasantes* ou *Garamantes* :

« *...qui fuient tous les hommes et toute société, ne possèdent aucune arme de guerre et ne savent pas se défendre* » (1).

Les *Maces* sont installés le long du littoral et après eux sont les *Gindanes* qui vivent auprès des *Lotophages*. A ceux-ci font suite les *Machlyes* qui s'étendent jusqu'au fleuve Triton ; ce fleuve se jette dans le Lac Triton. Hérodote énumère encore : les *Auses* qui, ignorant le mariage, mettaient les femmes en commun, les *Ammoniens*, les *Atlantes*.

Telle est la situation démographique de la Libye depuis l'Égypte jusqu'au mont Atlas au ve siècle avant notre ère. Si cette énumération d'Hérodote a été scrupuleusement respectée, c'est parce qu'au chapitre IV, lorsqu'il sera question des Amazones, dites d'Afrique, on verra que leur berceau fut précisément celui des Libyens nordiques. Ceux-ci, étant des Indo-Européens émigrés du berceau « nordique » et étant restés nomades, n'ont jamais pratiqué le matriarcat.

AFRIQUE NOIRE

L'histoire de l'Afrique Noire est connue, sans solution de continuité, depuis l'Empire de Ghana (iiie siècle de notre ère) jusqu'à nos jours, tout au moins pour la partie septentrionale du continent. Vraisemblablement, au cours de la Préhistoire, celui-ci s'est peuplé à partir de l'Afrique du Sud et de la Région

---

(1) Herodote : Hisoires, Livre IV, 168 et suivants. Traduit par Ph. E. Legrand, Société d'édition « Les Belles Lettres », Paris, 1945.

des Grands Lacs. En effet, on ne trouve pas de paléolithique en Afrique Occidentale ; le seul endroit où l'on en rencontre d'une façon certaine, c'est à Pita en Guinée ; au sud du Sahara on ne trouve en général que du néolithique, alors que le Sahara lui-même possède tous les âges de la Préhistoire.

On a donc été amené à supposer qu'après le désséchement du Sahara, achevé 7.000 ans avant notre ère, la population primitive a dû émigrer en partie vers la Vallée du Nil où elle a rencontré d'autres groupements venus probablement de la Région des Grands Lacs. Ces peuples ont, pendant longtemps, formé une sorte de grappe le long de la Vallée ; puis, en raison du surpeuplement et des invasions, ils ont essaimé de nouveau vers le cœur du continent, en chassant devant eux les Pygmées. C'est ce que semblent confirmer toutes les légendes recueillies de la bouche des Africains actuels et selon lesquelles les Ancêtres des Nègres seraient venus de l'Est, du côté de la « Grande eau » : pendant longtemps on n'a pas songé à identifier la « Grande Eau » au Nil. Les traditions bibliques et les premières découvertes archéologiques poussaient les savants à situer en Asie le berceau de l'humanité. Il était alors logique de chercher à peupler le reste du monde à partir du continent asiatique, où l'on avait exhumé le Pithécanthrope (Java) et le Sinanthrope (Chine). La théorie du continent lémurique naquit : elle consistait à faire dériver les Nègres africains des Australiens, la route de migration étant l'Océan Indien, les différentes îles servant d'escales aux piroguiers.

Les découvertes récentes, qui tendent à prouver que le berceau de l'humanité est l'Afrique du Sud, rendent de moins en moins nécessaire l'hypothèse lémurique.

La toponymie et l'ethnonymie de l'Afrique révèlent un berceau commun qui serait, effectivement, la vallée du Nil. La linguistique apporte une preuve quasi-certaine.

L'Empire de Ghana apparaît, historiquement, comme une transition entre l'Antiquité et les Temps modernes. En réalité, il est dit, dans le Tarikh-es-Soudan, que la ville de Koukia, sur le Niger non loin de Gao, existait depuis le temps du Pharaon. Les ruines de Ghana située au Nord-Ouest de la boucle du Niger ont été découvertes par Bonne lde Mézières et Desplagnes. L'histoire de Ghana nous est connue, dans ses grandes lignes, grâce aux textes des écrivains arabes. Ibn-Khaldoun, né en Tunisie en 1332, dans son « Histoire des Berbères » donne des renseignements sur les empires nègres de l'Afrique et sur les migrations Nord-Sud de peuples de race blanche. Ibn-Haoukal originaire de Bagdad (xe siècle) est un commerçant voyageur qui a pris beaucoup de notes sur les pays qu'il a traversés ; on lui doit « Les Routes et les Royaumes ». El Bekri, géographe arabe d'Espagne né en 1032, fournit d'abondantes indications sur la vie économique de Ghana. Ibn Batouta, né à Tanger en 1302 visita l'Empire du Mali pendant la Guerre de Cent Ans en 1352-53 : il fut à Tombouctou, Gao, Oualata et Mali la capitale de l'Empire qui avait succédé à Ghana à partir de 1240 ; il a écrit « Voyage au Soudan ».

Les renseignements fournis par ces divers auteurs nous apprennent, entre autres, qu'à Ghana la filiation était matrilinéaire, en particulier pour la succession au trône. La dynastie royale était celle des Sarakollé Cissé. Les historiens soutiennent parfois — mais sans pouvoir s'appuyer sur des documents — que la dynastie des Cissé fut précédée par une dynastie de race blanche sémite dont certains princes auraient régné avant Mahomet ; elle aurait compté 44 rois, avant de passer le pouvoir aux Cissé. On peut faire ici deux remarques. On oublie, d'une part, qu'avant Mahomet et l'Islam, les Arabes n'avaient aucun potentiel d'expansion, que précisément, à cette période, c'est un État Nègre, tel que le Soudan (Méroé), qui exerçait sa suzeraineté sur l'Arabie ; on ne peut donc expliquer, à partir du Yémen, l'origine de cette force politique capable de se tailler un empire aussi vaste en pays noir à cette époque. D'autre part, les Sémites pratiquant la filiation patrilinéaire, ce sont leurs usages qui auraient dû régler la succession au trône de Ghana s'ils étaient vraiment à son origine.

C'est seulement en 710, que sous la conduite d'Okba ben Nafi, les Arabes atteignirent le Maroc et l'Atlantique. Il est vrai qu'on raconte qu'au 1er siècle de notre ère une tribu d'Arabes nomades, les Berabich, aurait quitté le Yémen pour s'arrêter en Tripolitaine, d'où, au second siècle elle aurait été s'établir au sud du Maroc. Elle y serait restée, à côté des Berbères Messoufa, jusqu'au viiie siècle. C'est alors que, poussée par les Arabes musulmans, elle aurait gagné le désert et, dès lors, servi de liaison entre l'Afrique du Nord et l'Afrique Noire à partir de Tombouctou. C'est seulement au xviie s. qu'ils auraient été islamisés par les Arabes Kounta.

Les Kounta et les Beni Hassan sont deux tribus arabes qui ne sont entrées en Afrique Noire qu'au xve s. : ils font partie des éléments qui peuplent la Mauritanie.

On voit donc que la pénétration arabe en Afrique Noire est relativement récente et ne saurait, en aucun cas, expliquer le régime matriarcal de Ghana.

Le matriarcat régnait également dans l'Empire du Mali,

chez les Malinké. Ibn Batouta en apporte une confirmation ;
il a noté cette coutume comme un usage propre au monde noir
et contraire à ce qu'il avait l'habitude de voir partout ailleurs
dans le monde, sauf en Inde chez d'autres noirs.

« *Ils (les Nègres) se nomment d'après leur oncle maternel et
non d'après leur père ; ce ne sont pas les fils qui héritent des pères
mais bien les neveux, fils de la sœur du père. Je n'ai jamais rencontré ce dernier usage autre part, excepté chez les infidèles de
Malabar dans l'Inde* » (1).

Avec l'islamisation, c'est-à-dire sous l'influence d'un facteur
extérieur, et non par évolution interne, la plupart des populations qui, au Moyen Age, étaient matrilinéaires sont devenues
patrilinéaires, du moins en apparence.

« *Les auteurs arabes qui nous ont parlé de Ghana et du Mandingue (Mali) à l'époque du Moyen-Age font observer que, dans
ces Etats, la succession se transmettait, non pas de père à fils,
mais de frère à frère utérin, ou d'oncle à neveu fils de sœur. D'après
les traditions indigènes, ce serait les Bambara qui, les premiers
au Soudan, auraient rompu avec cet usage et c'est de là que viendrait leur nom — Ban-ba-ra ou Ban-ma-na signifiant séparation
d'avec la mère —, tandis que ceux d'entre les Ouangara qui étaient
demeurés fidèles à la vieille coutume auraient reçu le nom de Man-
ding ou Mandé — ma-nding ou ma-ndé signifiant « enfant de la
mère » —. De nos jours la parenté masculine ou consanguine a
persisté chez les Bambara et a triomphé chez les Sarakollé et chez
une partie des Mandingues ou Malinké ; mais beaucoup de ces
derniers n'admettent encore que la parenté féminine ou utérine
comme conférant le droit d'hériter et il en est de même chez la plupart des Peuls et des Sérères et chez un nombre considérable de
peuples noirs du Soudan, de la Côte de Guinée et de l'Afrique sud-
équatoriale* » (2).

L'islamisation de l'Afrique occidentale débuta avec le mouvement Almoravide au Xe siècle. On peut souligner qu'il a introduit une sorte de démarcation dans l'évolution de la conscience religieuse des princes d'abord et chez les peuples par voie

---

(1) Ibn Batouta : Voyage au Soudan (traduction Slane), p. 12.
(2) M. Delafosse : op. cit., p. 139.
Batouta était le plus grand voyageur de son temps ; il avait parcouru
le monde de Pékin à Mali. Son expérience des mœurs étrangères n'était
donc pas parcellaire.

de conséquence. La religion traditionnelle s'est flétrie peu à peu sous l'influence islamique, les mœurs et les coutumes également. C'est ainsi que le régime patrilinéaire s'est substitué, partiellement et progressivement, au régime matrilinéaire depuis le xe siècle. On saisit ainsi les causes extérieures qui ont entraîné ce changement.

En Afrique Occidentale l'adoption du nom du père pour les enfants semble provenir de cette même influence arabe ; en effet on vient d'apprendre avec Ibn Batouta qu'en 1253 les enfants étaient nommés d'après l'oncle maternel, c'est-à-dire le frère de la mère : donc l'enfant prenait le nom d'un homme, mais le régime était purement matrilinéaire ; il n'a cessé de l'être qu'à partir du moment où le nom du père s'est substitué à celui de l'oncle selon l'usage islamique.

Il est important de remarquer que, dès la même époque, la détribalisation était un fait accompli en Afrique Occidentale : la preuve en est donnée par la possibilité qu'a l'individu de porter un nom propre familial et non plus clanique. Dans les régions non détribalisées du continent, les individus n'ont qu'un prénom : lorsqu'on leur demande leur nom propre ils répondent qu'ils appartiennent à tel clan totémique déterminé dont le nom ne peut être porté que collectivement. C'est seulement lorsque les membres du clan se dispersent qu'ils pourront conserver individuellement, en souvenir de leur communauté primitive, le nom clanique qui devient leur nom propre de famille.

Cependant il est nécessaire de souligner une façon particulière de nommer l'enfant qui semble procéder d'une conception dualiste de la vie sociale. Au nom du garçon on ajoute celui de la mère, et au nom de la fille celui du père : par exemple, Cheikh Fatma désigne le fils de Fatma, Magatte Massamba-Sassoum est la fille de Massamba-Sassoum. Il est certain que ceci ne provient nullement d'une influence arabe.

Le matriarcat africain existe à l'échelle du continent :

« *Le comportement d'un fils envers sa mère chez les Swazi (qui vivent en Afrique du Sud) combine la déférence et l'affection. Pour lui, jurer, se déshabiller ou se conduire d'une façon impudique en sa présence, entraîne, croit-on, un châtiment direct des ancêtres ; il sera aussi publiquement réprimandé et peut être contraint par son conseil de famille à verser une indemnité. On s'attend à ce que sa mère le tance s'il néglige ses devoirs de fils, d'époux et de père, et il ne doit pas lui répondre dans un mouvement de colère. L'accent est toujours sur la mère propre : « la mère qui me porta ». Sa hutte est ketfu - notre maison »* (1).

La parenté chez les Tswana, qui vivent au Bechuanaland en Afrique du Sud, est également matrilinéaire :

« *Les parents maternels ne sont pas impliqués en principe, dans les situations que nous venons de décrire. Ils ne peuvent pas être rivaux dans la propriété ou la position sociale et le plus souvent « bien que ceci ne soit pas absolument général » ils appartiennent à une autre communauté locale. En conséquence, peut-être, sont-ils notoirement plus affectionnés et dévoués que les agnats. Les enfants, lorsqu'ils sont petits, sont souvent envoyés pour quelque temps dans le foyer de leurs parents maternels qui les encouragent par la suite à venir fréquemment leur rendre visite. Là, une chaude réception et une généreuse hospitalité leur sont réservées et ils profitent de nombreux avantages. Un enfant a une place dans le foyer des parents de sa mère, dit le proverbe. Un oncle maternel lié doit, en particulier, être consulté dans tous les cas touchant spécialement les enfants de sa sœur ; son opinion est si importante que quelquefois, au moment où l'on arrange leur mariage son veto peut être décisif... C'est de son oncle maternel, plus que d'aucune autre personne peut-être, qu'un homme attend l'avis désintéressé et l'assistance en cas de besoin... Les parents et les sœurs de la mère sont communément reconnus comme étant plus affables et indulgents que ceux du père* » (2).

Chez les Ashanti de Ghana la filiation est également matri-linéaire.

« *Les Ashanti considèrent le lien entre mère et enfant comme la clef de voûte de toutes les relations sociales... Ils le considèrent comme une parenté morale absolument obligatoire. Une femme Ashanti ne lésine pas sur le travail ou sur les sacrifices pour le bien de ses enfants. C'est surtout pour leur fournir la nourriture, l'habillement et aujourd'hui les frais d'éducation qu'elle travaille si dur, importune son mari et surveille jalousement son frère pour s'assurer qu'il s'acquitte fidèlement de ses devoirs de tuteur légal. Aucune exigence n'est exagérée pour une mère. Bien qu'elle répugne à punir et ne désavoue jamais son enfant, une mère Achanti exige*

(1) A.-R. Radcliffe-Brown et D. Forde : Systèmes familiaux et matri-moniaux en Afrique (Presses Universitaires de France, 1953), p. 120.
(2) A.-R. Radcliffe-Brown et D. Forde : op. cit., pp. 184-185.

de ses enfants obéissance et affectueux respect... Faire preuve d'irrespect à l'égard d'une mère équivaut à un sacrilège » (1).

Le matriarcat régit aussi l'organisation sociale des Bantou du centre de l'Afrique.

« *La plupart des peuplades bantou de l'Afrique Centrale détermine la filiation selon la ligne matrilinéaire plutôt que patrilinéaire et beaucoup d'entre elles pratiquent une certaine forme de ce que l'on connaît habituellement sous le nom de mariage matrilocal. En fait, c'est ce caractère matrilinéaire de l'organisation familiale qui les distingue si clairement des Bantou de l'Afrique de l'Est et du Sud et c'est, pour cette raison, que le territoire s'étendant des districts de l'Ouest et du Centre du Congo belge jusqu'au plateau Nord-Est de la Rhodésie septentrionale et des Monts de Nyassaland est parfois mentionné comme la* « ceinture matrilinéaire » (2).

Il ressort de cet exposé que le régime matriarcal est général en Afrique aussi bien dans l'Antiquité qu'à nos jours et ce trait culturel ne résulte pas d'une ignorance du rôle du père dans la conception de l'enfant. Le culte phallique qui est corollaire du régime agricole (pierres levées, obélisques d'Égypte, temples de l'Inde du Sud) le prouve largement : il montre qu'au moment où l'humanité archaïque optait pour la filiation matrilinéaire elle connaissait le rôle fécondant du père. Dans aucun des régimes décrits dans le berceau méridional on ne néglige systématiquement la parenté patrilinéaire. Au contraire, la conduite sociale à l'égard des parents patrilinéaires est plus stricte que celle vis-à-vis des parents matrilinéaires. Avec ces derniers on se conduit librement, sans hypocrisie sociale ; il en est différemment avec les premiers car il faut toujours sauver les apparences : sur le champ de bataille on peut laisser un frère ou un demi-frère maternels, mais jamais un demi-frère paternel bien qu'on l'aime moins que les premiers et qu'on soit plus éloigné de lui. C'est un rival social, on doit le dépasser ou, tout au moins, l'égaler en toutes choses, pour faire honneur, dans le cadre de la polygamie, à la « case » de sa mère, c'est-à-dire à sa lignée, c'est-à-dire à sa matrie.

---

(1) A.-R. Radcliffe-Brown et D. Forde : op. cit., pp. 345-346.
(2) A.-R. Radcliffe-Brown et D. Forde : op. cit., p. 274.

BERCEAU   L'aire géographique qui sera étudiée ici comprend :
NORDIQUE   les steppes eurasiatiques (civilisation dite des tu-
             mulus), la Germanie, la Grèce, Rome et Crète.
En réalité la Crète apparaît déjà comme une zone de transition,
en pleine mer, entre le Sud et le Nord. Compte tenu de l'antériorité de sa civilisation, c'est par l'étude de celle-ci qu'il est
préférable d'ouvrir ce chapitre.

CRÈTE

Que sait-on de la civilisation crétoise ? D'après Thucydide
les Crétois ont établi une thalassocratie sur toute la Méditerranée
égéenne.

« *D'après la tradition, Minos est le plus ancien roi qui se soit
créé une marine. Il étendit son empire sur la plus grande partie
de la mer que l'on appelle aujourd'hui hellénique (la Mer Egée).
Il domina sur les Cyclades où il établit pour chefs ses propres
fils. Il expulsa des îles les pirates qui les infestaient et fonda des
colonies dans la plupart d'entre elles. Dès lors les habitants des
côtes commencèrent à s'enrichir et à posséder des habitations moins
précaires ; quelques-uns même, dont l'aisance s'était accrue, environ-
nèrent leurs villes de remparts* » (1).

On ne savait rien de plus sur Crète jusqu'à ce que Schliemann
en 1876 et Evans en 1900 aient entrepris des fouilles sur le théâtre des exploits homériques. Schliemann n'était pas un profes-
sionnel mais un autodidacte de génie ; il était donc, en un sens,
moins handicapé dans ses initiatives par une formation classique.
Après avoir réussi dans les affaires et gagné beaucoup d'argent
il se consacra à la science, à l'étude des langues anciennes pour
mieux se livrer à l'archéologie. En prenant au pied de la lettre
les écrits des Anciens (Homère, Eschyle, Euripide, Sophocle),
il découvrit les emplacements des villes anciennes comme Troie,
Mycènes, Tirynthe. Il y pratiqua des fouilles et parvint à transformer la légende en vérité historique. A Troie il exhuma un trésor et les soubassements d'un palais qu'il considéra comme ceux
de Priam. Il trouva à Mycènes le « *trésor de l'Atrée* », à Tirynthe
un palais dont les murs étaient ornés de fresques. Il eut l'idée
de comparer les objets de céramique trouvés dans ces deux dernières villes. Par leur style, ils sortaient tous, pour ainsi dire,

---

(1) Thucydide : Guerre du Péloponèse, liv. I, trad. Bétant.

de la même usine. Les vases à motif géométrique existaient en Égypte à l'époque de Thoutmosis III (XVIIIe dynastie). A Mycènes il avait également déterré un œuf d'autruche qui, vraisemblablement, venait d'Afrique. Une des fresques du Palais de Tirynthe représentait la lutte d'un homme avec un taureau. Schliemann n'eut pas le temps de fouiller la Crète pour se rendre compte que cette scène est typique de l'art crétois. Cependant il pressentit, sur la base de ces indices, qu'autrefois une même civilisation — dont le centre était cette île — originaire d'Afrique ou d'Asie, s'était étendue sur la Méditerranée orientale.

C'est à Sir Evans qu'il appartiendra de prouver l'existence de la civilisation égéenne en exhumant le Palais de Minos à Cnossos. Ainsi fut confirmée la tradition rapportée par Thucydide : Crète était bien le foyer d'un empire maritime dont les villes continentales étaient des colonies. Par son commerce elle était en rapport avec le monde méridional et, en particulier, avec l'Egypte depuis la Préhistoire. En effet, d'après Capart, les statues gerzéennes, à tête triangulaire, caractéristiques de la fin de la préhistoire égyptienne, sont très répandues en Crète. La colonisation de l'Attique est symbolisée par la légende de Thésée : chaque année, les Athéniens devaient envoyer, comme tribut, sept garçons et sept filles, au Palais de Minos à Cnossos. Dans le Labyrinthe du Palais vivait un monstre à tête de taureau et à corps d'homme, le Minotaure, qui était censé dévorer les jeunes Athéniens. Thésée libéra sa ville natale en tuant le Minotaure, avec l'aide d'Ariane fille de Minos. Cette légende atteste l'état de vasselage dans lequel se trouvait l'Attique par rapport à la Crète.

On peut supposer que, sous la domination crétoise, les influences culturelles se répandaient du sud au nord, peut-être depuis l'Égypte. Or, à Crète le régime matriarcal était en vigueur comme en Égypte. Le Crétois appelait son pays natal : sa matrie (1) ; mais d'où venait-il lui-même ? On sait tout juste qu'il n'est ni un Indo-européen ni un Sémite, ni un Jaune : il était petit et brun et devait appartenir à une race métissée de très bonne heure. Celle-ci n'est sûrement pas indigène car l'Ile était désertique au Paléolithique. La race qui l'a habitée est donc venue d'un continent quelconque ; mais, avec son matriarcat indéniable on peut inférer qu'elle était originaire d'un berceau agricole. La thalassocratie crétoise a duré approximativement mille ans (2500 à 1500) ; son influence a donc eu le

_____

(1) Adrien Turel : op. cit., p. 37.

temps de s'implanter en Méditerranée : peut-être que le matriarcat des premières populations aborigènes de l'Attique est dû, partiellement, à la Crète.

On s'interroge encore sur les causes du brusque effondrement de la civilisation égéenne. Sir Evans qui l'a découverte pense qu'il faut invoquer un phénomène naturel, comme un tremblement de terre. En examinant les ruines du Palais de Minos il a pu déterminer les traces d'une destruction, si violente et si brusque, qu'on ne peut la comparer qu'à celle de Pompéi : les victimes n'ont pas eu le temps de réaliser la cause de leur mort. Aucune invasion de « peuples de la mer » n'aurait pu avoir des effets aussi instantanés. C'est après avoir été témoin d'un séisme sur l'Ile que Sir Evans eut cette idée.

Cependant il est remarquable que la destruction de la civilisation minoéenne se situe à l'époque des grandes invasions des Indo-Européens : c'est vers — 1500 que le berceau méridional sera envahi et en partie submergé par les peuples nomades venus des steppes.

GRÈCE

La Grèce commence à exister, historiquement, après la destruction de la civilisation crétoise. Les Achéens, tribu indo-européenne, en seraient les responsables comme le montre André Aymard. L'auteur souligne l'influence crétoise dans la société achéenne qui s'est enrichie matériellement et spirituellement grâce aux biens et aux « instituteurs » pris à la Crète :

« *Pourtant, excellents guerriers utilisant le cheval attelé au char, pleins de force fraîche et expansive, attirés par la richesse de leurs éducateurs, les Achéens finirent par attaquer ceux-ci. Vers 1400, le Palais de Cnossos fut détruit de fond en comble, et il ne se releva pas* ....
... dans la civilisation qui se développa alors, surtout à Mycènes — d'où vient son nom traditionnel — et à Tirynthe, l'influence crétoise paraît être demeurée forte. En pillant l'île et en ne lui laissant plus mener qu'une vie amoindrie, les Achéens avaient tiré d'elle des trésors, des artistes et des ouvriers afin d'embellir leur propre existence matérielle ; mais la présence de ces objets et de ces hommes ne pouvait demeurer sans conséquence sur le plan moral, en matière religieuse notamment » (1).

_____

(1) André Aymard et Jeannine Auboyer : L'Orient et la Grèce antique (Histoire Générale des Civilisations, vol. I), éd. P.U.F. 1955, pp. 214-215.

Vers cette époque — milieu du second millénaire — la Grèce a dû connaître, en plus de l'influence de Crète, celle des Égyptiens et des Phéniciens.

C'est à ce moment que les Phéniciens, symbolisés par Cadmus, prenant la relève des Crétois sur mer, introduisirent l'alphabet et fondèrent l'Oracle de Dodone, considéré comme le plus ancien centre culturel de la Grèce.

« A propos des oracles, celui qui est chez les Grecs et celui qui est en Libye, voici ce que racontent les Egyptiens. De Thèbes, me dirent les prêtres de Zeus thébains, deux femmes consacrées au dieu auraient été enlevées par des Phéniciens ; et ils auraient appris que l'une d'elles fut conduite et vendue en Libye, l'autre chez les Grecs ; ce seraient ces femmes qui, les premières, auraient établi les oracles chez les peuples sus-dits. Je leur demandai d'où ils tiraient une connaissance si précise de ce qu'ils disaient là ; ils répondirent à ma question qu'ils avaient recherché activement ces femmes, qu'il leur avait été impossible de les retrouver, mais que plus tard ils avaient appris à leur sujet ce qu'ils venaient de me dire. Voilà donc ce que j'ai entendu de la bouche des prêtres de Thèbes ; et voici ce que disent les prêtresses de Dodone. Deux colombes noires se seraient envolées de Thèbes d'Egypte ; l'une d'elles serait allée en Libye, l'autre chez les Dodoniens ; posée sur un chêne, celle-ci aurait déclaré avec une voix humaine qu'il fallait qu'on établit à cet endroit un oracle de Zeus ; » (1).

D'après Hérodote, presque tous les dieux de la Grèce sont originaires d'Égypte. C'est également des Égyptiens que les Pélasges auraient appris à donner des attributs à leurs divinités. La fondation de l'Oracle de Dodone dont il vient d'être question se situe à leur époque :

« Presque tous les dieux sont venus en Grèce de l'Egypte... Qu'ils viennent de chez les Barbares, mes enquêtes me le font constater ; et je pense que c'est surtout de l'Egypte. Car, à l'exception de Poséidon et des Dioscures, pour qui je l'ai déjà dit, d'Héra, d'Hestia, de Thémis, des Charites et des Néréides, les autres personnages divins existent chez les Egyptiens de tout temps. Je dis là ce que disent les Egyptiens eux-mêmes. Quant aux personnes divines qu'ils dé-

_____

(1) Herodote, Livre II, par. 54-55.

73

clarent ne pas connaître, je pense qu'elles ont reçu leur désignation
des Pélasges, sauf Poséidon... ....

... Donc, les usages dont nous avons parlé, et d'autres encore,
desquels nous parlerons, sont venus aux Grecs des Egyptiens...
Autrefois à ce que j'ai entendu dire à Dodone, les Pélasges offraient
tous les sacrifices en invoquant les dieux, sans désigner aucun
d'entre eux par un qualificatif ou par un nom personnel ; car ils
n'avaient encore rien entendu de pareil. Ils les avaient appelés
ainsi (théos) en partant de cette considération, que c'est pour avoir
établi l'ordre dans l'univers que les dieux présidaient à la réparti-
tion de toutes choses. Plus tard, au bout de beaucoup de temps,
les Pélasges apprirent à connaître, venues d'Egypte, les désigna-
tions individuelles des dieux autres que Dionysos ; un temps passa
encore et ils consultèrent sur ces désignations à Dodone ; l'oracle
de Dodone est regardé en effet comme le plus ancien chez les Grecs
et il était le seul à cette époque » (1).

On situe généralement le règne de Cécrops — roi légendaire
originaire d'Égypte — à cette même époque des Pélasges. C'est
lui qui aurait introduit en Grèce les usages du Sud : l'agriculture et même, semble-t-il, l'usage du mariage. Le matriarcat
des peuples primitifs de la péninsule est attaché à son nom. Bien
qu'il s'agisse d'une légende, on ne saurait trop insister sur cette
triple corrélation : c'est un roi du Sud qui apporte l'agriculture
et son corollaire le matriarcat. La lutte que les Grecs ont livrée
par la suite pour rejeter ces valeurs culturelles méridionales est
précisément exprimée dans une légende qui relate des faits datant du règne de Cécrops.

« *J'attire d'abord l'attention sur un récit de Varron que saint*
Augustin nous a conservé (De Civitate Dei, 18,9). Sous le règne
de Cécrops se produisit un double prodige. Simultanément surgi-
rent du sol l'olivier et, en un autre endroit, une source. Le roi,
effrayé, envoya demander à l'oracle de Delphes ce que cela signi-
fiait, et ce qu'il fallait faire en pareille occurrence. Le dieu répondit
que l'olivier signifiait Minerve et la source Neptune, et qu'il appar-
tenait aux citoyens de nommer leur ville d'après l'un des deux signes,
et d'après l'une des deux divinités. Là-dessus, Cécrops convoqua
les citoyens en assemblée, les femmes aussi bien que les hommes,
car à cette époque il était d'usage de faire participer les femmes
aux délibérations publiques. Alors les hommes votèrent pour Nep-

---

(1) Herodote : op. cit., Livre II, par. 50, 51, 52.

tune, et les femmes pour Minerve ; et comme il y avait une femme de plus, ce fut Minerve qui l'emporta. Neptune, ainsi rebuté, se courrouça, et la mer recouvrit les terres des Athéniens. Pour apaiser la colère du dieu, les citoyens se virent forcés d'infliger trois punitions à leurs femmes : elles devaient perdre leur droit de vote ; leurs enfants ne seraient plus nommés d'après la mère ; elles-mêmes n'auraient plus le droit de s'appeler Athéniennes (selon le nom de la déesse). Saint Augustin ajoute les considérations suivantes : car en la personne des femmes punies, Minerve qui d'abord avait remporté la victoire fut vaincue. Elle abandonna si complètement ses amies qui lui avaient donné leurs suffrages, qu'elles ne perdirent pas seulement leur droit de vote et celui d'appeler leurs enfants d'après le nom de la mère, mais qu'elles ne purent même plus s'appeler Athéniennes et ne purent plus porter le nom de la déesse qui, grâce à leur vote, l'avait emporté sur la divinité mâle » (1).

Ce texte, aussi explicite que l'*Orestie* d'Eschyle, situe comme celui-ci, la démarcation sur le sol héllénique entre l'époque où les valeurs culturelles méridionales furent prépondérantes et celle où elles cédèrent le pas aux valeurs nordiques. Il est typique que toutes les mentions d'un matriarcat à l'époque égéenne soient liées à un facteur méridional.

Plusieurs faits semblent attester cette extension ancienne vers le Nord des valeurs du berceau agricole. Ils sont surtout énumérés et analysés dans une étude de Louis Benloew :

« *En revanche on a soutenu à plusieurs reprises et avec une certaine persistance que les résultats n'ont pas encore justifié que la Grèce avait été colonisée par des émigrants venus de l'Egypte. Fréret a essayé d'identifier Inachus et Enak, Pharaon et Phoroné. Io, fille d'Inachus, emprunte plusieurs de ses traits à la déesse Isis. La ressemblance de ces noms ne laisse pas d'être spécieuse, mais elle ne suffit pas pour porter une conviction sérieuse dans les esprits. La tradition qui fait venir Cécrops et Danaüs d'Egypte n'est pas plus assurée. On a prétendu que Cécrops avait introduit dans l'Attique l'agriculture, l'arboriculture (la culture de l'olivier surtout), l'institution du mariage ! Philochoros allait jusqu'à affirmer que sous Cécrops Athènes comptait 20.000 âmes...............*
...C'est Platon qui, dans son Timée, d'après une tradition des prêtres égyptiens, avait affirmé qu'Athènes avait eu des relations

_____

(1) Turel : op. cit., pp. 95 et 96.

étroites avec la terre d'Egypte et notamment avec Saïs ....

*La mythologie grecque fait de Libye la mère de Bélos, et donne
à ce dernier pour fils Danaos et Egyptos. Ces données légendaires
prouvent seulement les anciennes et intimes relations qui semblent
avoir uni dans la plus haute antiquité Mizraïm, Sem et Javan.
Il n'est nullement invraisemblable qu'à l'époque où les Hyksos
s'étaient emparés de la vallée du Nil, les Egyptiens guidés par les
Phéniciens aient tenté de coloniser quelques points du Péloponèse.
Dans Pausanias, il y a plus d'un souvenir, plus d'un nom qui
fait penser à l'antique Egypte ....*

*...Hérodote raconte que les Danaïdes ont appris aux femmes
d'Argos à célébrer les Thesmophories de Déméter, fêtes dont le
cérémonial avait trait surtout à l'union conjugale ....*

*... Peu nous importe, après tout, que les Egyptiens aient fondé
ou non une colonie sur les côtes de la presqu'île hellénique. Ce que
nous voudrions prouver c'est que le sol de la Grèce n'avait pas été
occupé dans les plus anciens temps uniquement par des populations venues des régions boréales, que l'Orient et le midi ont fourni
leur contingent de colons au teint basané. Notre tâche sera facile,
si l'on veut nous accorder que les noms propres que nous rencontrons dans la mythologie des peuples anciens sont autre chose
qu'un vain son. Or, c'est ce teint qui a donné leur nom à ces Ethiopiens, dont les Grecs reconnaissent deux espèces, celle qui habitait
l'extrême-Orient et celle qui demeurait à l'Ouest, c'est-à-dire dans
la Libye (peut-être aussi dans la Nubie). Ont-ils pénétré dans la
Grèce et se sont-ils mêlés aux habitants de ce pays ? »* (1).

L'auteur montre que Danaos avait une épouse nommée
Ethiopis et une fille Céléno, dont le nom signifie : noir. Il montre
que le même nom était porté aussi par une fille d'Atlas. Céléno
eut de Neptune un fils appelé Célénus. Un autre Célénus, fils
de Phlyos, est à la base des cultes antiques lélèges du Péloponèse. Persée, roi d'Argos, eut un petit-fils Céléno. Céléné était
également la fille de Proetus, roi de Tirynthe, qui s'était fait
bâtir une citadelle cyclopéenne par des Lyciens. La déesse Diane
de l'Attique était une éthiopienne ; on l'adorait à Brauron et
c'est Apollon qui l'avait amenée d'Ethiopie ; Anacréon l'appelait enfant de l'Ethiopie ; ailleurs on la désigne simplement du
nom de l'Ethiopienne. Elle avait des autels en Lydie et dans

(1) Louis Benloew : *La Grèce avant les Grecs*. Étude linguistique et
ethnographique. Pélasges, Lélèges, Sémites et Ioniens. Paris. Éd. Maisonneuve et Cⁱᵉ, 1877, pp. 132 à 135.

l'Eubée, deux pays qu'on nommait anciennement Ethiopie. Hélanëis était l'ancien nom de la ville d'Erétrée dans l'Eubée : elle aurait été fondée par Mélénée. Une Vénus noire était adorée à Corinthe. Ces noms mélaniens sont également répandus dans le Péloponèse. On connaît un Mélanthos, fils de Nélée, roi d'Elide ; une région de la Sithonie s'appelle Mélandia. D'après Homère, Protée était parti d'Égypte pour s'installer en Macédoine dans la presqu'île Chalcidique. A l'origine les îles de Samothrace, Lemnos, Lesbos étaient appelées Ethiopie. Selon le même auteur Pélops — qui a donné son nom au Péloponèse — ne saurait signifier que l'homme au teint basané. Au temps d'Homère cette région ne s'appelait pas encore Péloponèse ; ce terme n'aurait été adopté qu'au VIIe siècle.

La stratification de la population en Grèce, d'après Benloew est la suivante :

Une première couche composée de Lélèges, mêlée à des colons phéniciens, libyens et égyptiens peut-être, fut vaincue par les Achéens, peuple nordique, qui constitue la deuxième couche. A leur tour les Achéens furent vaincus par les Doriens (troisième couche) également nordiques. Autant le matriarcat de la première couche est indéniable, autant le patriarcat des deux autres l'est aussi. (1)

La première population était imbibée d'une culture méridionale que la seconde s'acharnera à détruire au point qu'il en reste aujourd'hui des traces à peine décelables.

« *La femme, et c'est là que nous voulions en venir, paraît avoir joué un autre rôle chez les peuplades primitives de la Grèce que chez les descendants de Deucalion avec lesquels elles allaient partager le sol. De même que Déméter et Athénée étaient chez elles l'objet d'une adoration particulièrement ferventes, la femme y jouissait non seulement d'une singulière estime, mais elle paraît avoir occupé quelquefois dans la constitution de la tribu un rang supérieur à celui de l'homme. En y voyant surtout la mère, on la considérait comme la base de la famille et de la société, et on lui attribuait des droits et des prérogatives qui, dans nos sociétés, appartiennent aux hommes seuls* » (2).

Parmi ces populations primitives, celles qui sont le plus marquées par le matriarcat méridional sont les Pélasges, les Lélèges, les Locriens épizéphyriens dont parle Polybe. Il a

---

(1) On a tendance à considérer aujourd'hui le mouvement dorien comme une lutte de classes.
(2) Louis Benloew : op. cit., pp. 186-187.

été fait maintes fois allusion à l'influence phénicienne. Vers le milieu du second millénaire (— 1450) sous la poussée croissante, peut-être, de tribus indo-européennes qui occupaient l'arrière-pays, et peut-être aussi pour des raisons commerciales, les Phéniciens fondèrent leurs premières colonies en Béotie pour y installer le trop-plein de la ville de Sidon. C'est ainsi que fut créée Thèbes en Béotie, dont le choix du nom confirme les relations étroites avec l'Égypte dès cette époque. En effet, c'est le nom de la capitale sacrée de la Haute-Égypte, d'où les Phéniciens ont amené les femmes noires qui ont fondé les oracles de Dodone en Grèce et d'Amon en Libye. Cadmus personnifie la période sidonienne et l'apport phénicien à la Grèce : les Grecs disent que c'est lui qui a introduit l'écriture comme nous dirions, aujourd'hui, que c'est Marianne qui a introduit les chemins de fer en Afrique Occidentale Française. La colonie phénicienne eut la suprématie au début ; mais il y eut très tôt une lutte d'émancipation des Grecs contre les Phéniciens qui, à cette période d'avant les Argonautes, possédaient la maîtrise des mers et la suprématie technique. D'après Lenormant, cette époque de conflit est symbolisée par la lutte de Cadmus (le phénicien) contre le serpent fils de Mars (le grec) ; elle dura trois siècles environ.

« *La discorde, ainsi soulevée entre les autochtones par l'arrivée des colons cananéens, est représentée dans la légende mythique, par le combat que se livrent, après la venue de Cadmus, les Spartes nés de la terre. Dès lors, ceux des Spartes que la fable fait survivre à ce combat et qui deviennent les Compagnons de Cadmus sont les représentants des principales familles Aoniennes qui acceptèrent la domination étrangère.*

Cadmus ne reste pas longtemps paisible possesseur de son empire, il est bientôt chassé et forcé de se retirer chez les Enchéliens. C'est l'élément indigène qui reprend le dessus ; après avoir accepté l'autorité des Phéniciens, après en avoir reçu les bienfaits de la civilisation, il réagit contre eux et cherche à les expulser ....

... Tout ce qu'on peut discerner dans cette partie des récits relatifs aux Cadméens est l'horreur profonde que leur race, en tant qu'étrangère, et leur culte, encore empreint de toute la barbarie et de toute l'obscénité orientale, inspirait aux Grecs pauvres et vertueux dont cependant ils avaient été les instituteurs. Aussi, dans les traditions hélléniques, une terreur superstitieuse s'attache-t-elle au souvenir des rois de la race de Cadmus. Ce sont eux qui fournissent le plus de sujets à la tradition antique » (1).

(1) Lenormant : Histoire ancienne des Phéniciens, Éd. Lévy, 1890, pp. 497 et 498.

L'influence cananéenne en Grèce fut donc profonde ; elle se serait perpétuée pendant 3 siècles par l'intermédiaire de rois ayant trouvé des collaborateurs parmi la population. Cette influence est relatée même par la Bible qui parle de Dodanim qui n'est autre que l'oracle de Dodone :

« *La tradition de la Genèse et celle des Grecs sont d'accord pour faire de Dodone (en hébreu Dodanim) le plus ancien centre de la civilisation héllénique. Il est curieux, que l'on rencontre dans la région où cette ville est située, tous les noms par lesquels les Grecs se sont désignés depuis leur arrivée dans le pays où ils devaient rester fixés* » (1).

Homère et Hésiode sont les poètes qui ont fixé la tradition nationale grecque. Hésiode était Béotien. Sa théogonie est directement inspirée de la cosmogonie phénicienne révélée par les fragments de Sanchoniaton, traduits par Philon de Byblos et rapportés par Eusèbe. Ceux qui pensent que le patriarcat était la base de l'organisation sociale phénicienne pourraient faire des objections ; on peut rappeler qu'il importe de distinguer essentiellement, la Phénicie de l'époque cananéenne, de la Palestine israélienne. Les émigrés phéniciens de Tyr qui ont fondé Carthage étaient sous la direction, non d'un roi, mais de la reine Didon. Les Cananéens qui étaient des sédentaires pratiquant l'agriculture et le commerce relevaient du régime méridional matriarcal et avaient de grandes affinités culturelles avec les Égyptiens.

Tout ce qui précède montre que c'est seulement dans la mesure où l'on fait abstraction de la superposition de la culture méridionale et de la culture nordique autour de la Méditerrannée et en Grèce, en particulier, que l'on peut parler d'un passage universel du matriarcat au patriarcat, de l'ubiquité de toutes les formes d'organisation et de croyance humaines.

ROME

La situation historique présente de grandes similitudes avec celle de la Grèce qui vient d'être décrite : occupation antérieure

---

(1) L. Benloew, op. cit., p. 3.

du sol par des peuples aborigènes ayant leurs mœurs propres, invasion et destruction de ces peuples par des éléments nomades du Nord arrivés tardivement. Cependant les possibilités d'investigation sont singulièrement limitées par la rareté des documents que souligne André Aymard.

« *Au préalable, il importe de préciser les limites de notre documentation : son insuffisance justifie la prudence dont s'inspireront les pages qui vont suivre. Des Grecs et des Romains s'étaient intéressés aux Etrusques, leur consacrant parfois des œuvres importantes. Pour s'en tenir à deux exemples, choisis à cause de la notoriété de ses écrivains, Aristote n'avait pas négligé ce peuple parmi les cent cinquante-huit dont il étudia les « constitutions » ou institutions politiques, dans autant de monographies, et le fervent érudit que fut l'empereur Claude écrivit des Tyrrhenica en vingt livres. Mais, comme leurs similaires, ces traités systématiques ont disparu et de l'abondante « littérature » antique concernant le plus prestigieux épisode des origines italiennes, il ne reste aujourd'hui que des bribes infimes et décousues* (1). »

André Aymard passe en revue les trois hypothèses en vigueur sur l'origine des Etrusques. L'une les fait venir du Nord à travers les « Alpes rhétiques » ; l'autre les considère comme des autochtones dont la civilisation aurait éclos par suite d'un processus d'évolution interne et grâce aux contacts maritimes avec les peuples de la Méditerranée orientale ; la troisième, qui a le plus d'adeptes chez les Anciens, les considère comme des envahisseurs venus d'Asie Mineure après avoir longuement erré en Méditerranée, vers la fin du second millénaire, consécutivement à la chute de Troie.

Certains faits semblent impliquer que les Etrusques connaissaient le matriarcat. Ils étaient sédentaires et agriculteurs et, comme tels, pratiquaient tout un rituel pour le tracé des villes avec le soc de la charrue. Il semble que Romulus se soit inspiré de cette coutume en fondant la ville de Rome. Ils nommaient les enfants concurremment selon le nom de la mère ou celui du père.

« *Il existe, en Etrurie, de grandes familles et leur cohésion se manifeste par un système de désignation individuelle jusqu'alors inconnue dans le monde méditerranéen. Tout l'Orient n'avait donné*

---

(1) A. Aymard et J. Auboyer : Rome et son empire (col. Histoire Générale des Civilisations), P.U.F. 1954, p. 17.

à l'homme qu'un seul nom, en le faisant suivre du nom de son père afin de distinguer les homonymes ; certains Asiatiques, les Lyciens notamment, préféraient le nom de la mère, ce qui a été parfois interprété comme le vestige d'un régime matriarcal. Or, si les Etrusques utilisent aussi ces deux systèmes, ils en emploient un autre concurremment ou même seul, le nom ailleurs unique devenant un prénom placé devant un nom de famille. Cette coutume affirme avec force la continuité familiale et, de fait, elle permet d'établir pour certaines familles étrusques des généalogies assez longues et complexes (1). »

On voit ainsi que le matriarcat étrusque est, pour le moins, incertain. Mais, compte tenu de son caractère agricole et sédentaire et des rapports constants que ce peuple a eus avec l'Égypte — l'usage du sarcophage l'atteste — la pratique du matriarcat ne serait pas invraisemblable. Le sarcophage est la matérialisation, en quelque sorte, de l'idée religieuse que l'Égyptien avait de l'immortalité. Il reflétait son espoir de conquérir celle-ci ; peut-être qu'alors les notions de survie, les pratiques divinatoires qui tiennent une large place dans la religion étrusque auraient une origine méridionale. Il est évident que les Etrusques sont bien postérieurs aux Égyptiens.

Si les Etrusques avaient une origine asiatique comme le supposent la plupart des écrivains anciens, s'ils étaient les réfugiés de Troie, ils auraient été, d'après la tradition, les alliés de l'Égypte avant la chute de cette ville car le roi d'Égypte et d'Éthiopie d'alors avait envoyé dix mille Éthiopiens pour secourir la ville de Priam assiégée par les Grecs conduits par Agamemnon. Dans ce cas l'influence égyptienne serait antérieure à la Guerre de Troie, ce qui n'aurait rien d'invraisemblable puisque à une époque plus ancienne l'Égypte avait déjà influencé la Phénicie. Les Sabins vivaient à Albe au voisinage des Etrusques. La racine de leur nom n'est pas indo-européenne et rappelle une ethnonymie méridionale. Ils adoraient le dieu Consus, d'après Fustel de Coulanges ; une divinité égyptienne connue s'appelle Khonsou. En égyptien ancien, Rome, dont on ne connaît pas l'origine étymologique, pourrait se rattacher à la racine Rometou signifiant « les hommes ». La légende liée à la fondation de la ville révèle des pratiques totémiques qui semblent étrangères au berceau nordique.

Il n'est pas invraisemble que, au moment où l'influence

---

(1) A. Aymard et J. Auboyer : op. cit., p. 22.

égyptienne s'étendait en Grèce (époque de Cécrops) elle ait aussi gagné la presqu'île italique alors habitée par des peuples aborigènes.

Ce fond primitif de population sera complètement rasé à l'arrivée des véritables Indo-Européens : les Latins, en tant que représentants d'une culture et de mœurs étrangères. Ici comme en Grèce, la discontinuité est évidente entre anciens et nouveaux habitants et l'on ne saurait considérer valablement le patriarcat des seconds comme la suite logique du matriarcat des premiers. Il s'agit bien de deux systèmes irréductibles qui se sont superposés une fois de plus. Le discours de Caton, rapporté par Tite-Live pour le maintien de la loi Oppia contre le luxe des femmes, révèle tout le fond patriarcal de la société latine :

« *Nos ancêtres n'ont permis aux femmes de traiter aucune affaire, même domestique, sans une autorisation spéciale ; ils n'ont jamais cessé de les tenir dans la dépendance de leurs pères, de leurs frères, de leurs maris. Pour nous, s'il plaît aux dieux, nous leur permettrons bientôt de prendre part à la direction des affaires publiques, de fréquenter le Forum, d'entendre les harangues, et de s'immiscer dans les opérations des comices... Les avantages contre l'absence desquels elles réclament aujourd'hui sont les moindres de ceux dont, à leur grand déplaisir, la jouissance leur est interdite par nos mœurs et par nos lois... Enumérez toutes les dispositions législatives par lesquelles nos ancêtres ont tâché d'enchaîner l'indépendance des femmes et de les assujettir à leurs maris ; et voyez combien, avec toutes ces entraves légales nous avons de peine à les contenir dans le devoir. Quoi ! si vous leur laissez rompre ces liens les uns après les autres, s'affranchir de toute dépendance, et s'assimiler entièrement à leurs maris, pensez-vous qu'il leur sera possible de les supporter ? Elles ne seront pas plus tôt nos égales, qu'elles nous domineront* » (1).

Ce texte se passe de commentaires : il est difficile de penser que le peuple qui s'exprime ainsi sur la condition de la femme, par la bouche de ses plus grands hommes politiques, ait connu un matriarcat oublié ; le passage cité exprime tout le contraire, car il consiste surtout à rappeler les vertus coercitives des ancêtres à l'égard des femmes. A l'origine il y eut un assujettissement total qui ne s'est assoupli qu'avec l'évolution. A l'époque où

_____

(1) Tite-Live : *Histoire Romaine*, Livre 34 : Discours de Caton pour le maintien de la loi Oppia contre le luxe des femmes. 195 av. J.-C.

Caton prononçait ces paroles sur le Forum romain, dans le berceau méridional, en Afrique, les femmes participaient à la vie publique avec droit de vote, pouvaient être reines, jouissaient de toute leur personnalité juridique égale à celle de l'homme. Il est impossible de trouver l'équivalent de ce texte dans toute la littérature égyptienne depuis l'origine et dans toute la littérature africaine nègre, qu'elle soit écrite ou orale.

GERMANIE

On doit à César et à Tacite les quelques renseignements qu'on possède sur la Germanie et la Gaule. D'après ces documents les Germains étaient encore semi-nomades et luttaient de toutes leurs forces contre la sédentarisation définitive. Ils restaient conscients de leur passé pastoral et refusaient sciemment de se consacrer à l'agriculture. Corrélativement aux mœurs nomades l'incinération était en vigueur. La polygamie était générale chez les barbares, selon Tacite ; chez les Germains, tous ceux qui en avaient les moyens, c'est-à-dire l'aristocratie, la pratiquaient. Ils se livraient au même genre de guerre dévastatrice que les Romains ; d'après Fustel de Coulanges ces derniers ne s'attaquaient pas seulement aux hommes, mais à la nature environnante, aux récoltes, etc... Après leur passage les champs étaient transformés en déserts incultes. Il en était de même chez les Germains.

« Ils ne s'adonnent point à l'agriculture et vivent principalement de lait, de fromage et de viande. Nul n'a une portion de terre en propre ou des limites déterminées ; mais chaque année, les magistrats et les chefs assignent aux diverses peuplades et aux familles qui se sont réunies telle étendue de terrain et dans tel canton qu'ils jugent à propos et, l'année d'après, ils les forcent à se transporter ailleurs. Ils donnent de cela plusieurs raisons : ils craignent que la force et l'attrait de l'habitude ne fassent abandonner le goût des armes pour celui de l'agriculture... Le plus grand honneur pour les cités est d'avoir autour d'elles des frontières dévastées et d'immenses solitudes. Ils croient que le propre du courage est de forcer les peuples voisins à déserter leurs territoires et de ne voir personne qui ose s'établir près d'eux : en même temps qu'ils pensent être ainsi plus en sûreté n'ayant pas d'invasions soudaines à craindre... Le vol commis au-delà des frontières de la cité n'a rien de honteux : il sert, disent-ils, à exercer les jeunes gens et à diminuer la paresse » (1).

---

(1) *César : La guerre des Gaules*, Livre 6, chapitres 22 et 23.

Tacite dépeint plus fortement encore l'esprit belliqueux et la barbarie des Germains.

« *Le comble du déshonneur est d'avoir quitté son bouclier... On rapporte ses blessures à une mère, à une épouse ; et celles-ci ne craignent pas de compter les plaies, d'en mesurer la grandeur. Dans la mêlée, elles portent aux combattants de la nourriture et des exhortations... Si la cité qui les vit naître languit dans l'oisiveté d'une longue paix, ces chefs de la jeunesse vont chercher la guerre chez quelque peuple étranger : tant cette nation hait le repos ! D'ailleurs on s'illustre plus facilement dans les hasards et l'on a besoin du règne de la force et des armes pour entretenir de nombreux compagnons... Vous leur persuaderiez bien moins de labourer la terre et d'attendre l'année que d'appeler des ennemis et de chercher des blessures. C'est à leurs yeux paresse et lâcheté que d'acquérir par la sueur ce qu'ils peuvent se procurer par le sang...*

...Ils portent aussi des peaux de bêtes, plus grossières vers le Rhin, plus recherchées dans l'intérieur où le commerce ne fournit point d'autres parures. Là on choisit les animaux, et, pour embellir leur dépouille, on la parsème de taches et on la bigarre avec la peau des monstres que nourrissent les plages inconnues du plus lointain océan ....

...Nul faste dans leurs funérailles ; seulement on observe de brûler avec un bois particulier le corps des hommes illustres » (1).

Un passage de Tacite, relatif à l'importance de l'oncle maternel chez les Germains, a fait penser souvent que ces derniers connaissaient le matriarcat. Cette opinion serait fondée si le neveu héritait de l'oncle dans la société germanique ; mais Tacite nous apprend le contraire ; le fils hérite de son père.

« *Toutefois en ce pays, les mariages sont chastes, il n'est pas de traits dans leurs mœurs qui méritent plus d'éloges. Presque seuls entre les barbares ils se contentent d'une femme, hormis un très grand nombre de grands qui en prennent plusieurs, non par esprit de débauche, mais parce que plusieurs familles ambitionnent leur alliance. Ce n'est pas la femme, mais le mari qui apporte la dot.*

...Le fils d'une sœur est aussi cher à son oncle qu'à son père ; quelques-uns pensent même que le premier de ces liens est le plus sain et le plus étroit ; et, en recevant des otages, ils préfèrent des

---

(1) *Tacite* : Mœurs des Germains, chapitres 6, 7, 14, 17, 27.

neveux comme inspirant un attachement plus fort et intéressant la famille par plus d'endroits. Toutefois on a pour héritiers et successeurs ses propres enfants » (1).

Au cas où ces faits ne constitueraient pas une exception confirmant la règle, on pourrait tenter de les expliquer par une influence extérieure. L'inconsistance de la culture nationale des Germains à cette époque, et des barbares en général, les rendait particulièrement perméables aux mœurs du Sud qui leur étaient apportées en même temps que les produits manufacturés des Phéniciens. On a tendance à se représenter les peuples germaniques situés au Nord de l'empire romain, entre le Rhin et le Danube, comme coupés de toute influence extérieure et surtout méridionale. Ce point de vue doit être écarté dans la mesure où ils ont subi cette influence jusque dans leurs croyances religieuses.

Les Germains Suèves sacrifiaient à Isis ; Tacite qui rapporte le fait, s'en étonne et l'attribue à une influence extérieure.

« *Une partie des Suèves sacrifie aussi à Isis. Je ne trouve ni la cause, ni l'origine de ce culte étranger. Seulement la figure d'un vaisseau, qui en est le symbole, annonce qu'il leur est venu d'outre-mer* » (2).

C'est dans le domaine religieux que les peuples sont, en général, le plus imperméable à toute influence extérieure. Lorsque cette forteresse mentale est battue en brèche, les autres, moins consistantes, tels que rapports de famille et autres, ont dû déjà subir de grands dommages, de profondes modifications. Or, l'influence religieuse du Sud, dans la Germanie d'alors et dans toute l'Europe du Nord, est plus étendue, plus profonde, plus durable qu'on ne se l'imagine souvent. Elle s'étendait jusqu'à l'Angleterre, probablement par le truchement des Phéniciens qui allaient y chercher l'étain.

« *Suivant Tacite (Germains 9), une partie des Suèves, peuple germanique, sacrifiaient à Isis ; en fait, on a trouvé des inscriptions où Isis est associée à la ville de Noreia divinisée ; Noreia est aujourd'hui Neumarket en Styrie. Isis, Osiris, Sérapis, Anubis, ont eu des autels à Fréjus, à Nîmes à Arles, à Riez (Basses-Alpes),*

---

(1) *Tacite.* op. cit., chapitres 18 et 20.
(2) *Tacite,* op. cit., chap. 9.

à Parizet (Isère), à Manduel (Gard), à Boulogne (Haute-Garonne), à Lyon, à Besançon, à Langres, à Soissons. Isis était honorée à Melun, et Sérapis, à York et à Brougham Castle, mais aussi en Pannonie, et aussi dans le Norique » (1).

Du temps de César, qui écrivait 150 ans environ avant Tacite les Germains ignoraient la plupart des dieux qu'ils adoreront plus tard : ils n'en connaissaient que trois. Leur culte était réduit à sa plus simple expression. Plus tard ils enrichiront leur panthéon en y intégrant, de plus en plus, des dieux méridionaux.

« Les usages des Germains sont très différents : car ils n'ont point de Druides pour présider au culte et ne s'occupent guère de sacrifices. Ils ne comptent de dieux que ceux qu'ils aperçoivent et dont les bienfaits sont sensibles, le soleil, Vulcain et la lune : ils n'ont pas même entendu parler des autres. Ils passent toute leur vie à la chasse ou dans les exercices guerriers, et s'appliquent dès l'enfance à s'endurcir à la fatigue (2) ».

Cette influence étrangère, méridionale, dans le Nord de l'Europe et dans toute la Méditerranée est attestée même par des fossiles linguistiques.

« La mutation de ll en dd (son cacuminal dans lequel la pointe de la langue se replie pour toucher la partie supérieure du palais, parfois même avec la partie inférieure de la langue) en Sardaigne, en Sicile, Apulie et Calabre, ne présente pas un changement d'une moindre importance de principe, ni d'un intérêt moins considérable. D'après Merlo, ce mode d'articulation particulière serait dû au peuple méditerranéen qui a vécu dans le pays avant sa romanisation. Bien qu'il existe des sons cacuminaux également dans d'autres langues, la mutation articulatoire a ici procédé sur une si large base et dans un domaine qui, s'étendant par delà les mers, a un caractère si nettement archaïque que la conception de Merlo a toutes les apparences de la vérité. Sans doute Rohlfs y objecte-t-il que l'on trouve également ailleurs des sons cacuminaux. Mais ce sont, pour une part, des cas qui confirment plutôt l'opinion de Merlo. Ainsi Pott et Benfey ont depuis longtemps révélé que l'articulation cacuminale qui s'est introduite dans les

(1) J. Vendryes : Les religions des Cltes, des Germains et des anciens Slaves. Coll. « Mana », T. 3, p. 244.
(2) *César* : op. cit. Livre 6, chap. 21.

langues aryennes parlées par les envahisseurs du Dekkan provenait
des populations dravidiennes sous-jacentes » (1).

Il est remarquable qu'à l'époque de César il n'existait aucune
déesse dans le panthéon germanique. Tout en constituant une
contradiction pour un peuple qui aurait connu le matriarcat,
ce fait prouverait que les *Nibelungen* (chanson de geste alleman-
de) sont nés postérieurement, peut-être au Moyen-Age.

SCYTHIE

Au Ve siècle avant J. C. les Scythes étaient encore semi-
nomades. Leurs mœurs terrifiantes sont décrites par Hérodote
dans son Livre IV. Leur cas est d'autant plus important qu'ils
semblent constituer le groupement humain demeuré le plus proche de l'état et du berceau primitif indo-européens.

Lorsqu'un roi meurt, ils traînent son cadavre de tribu en
tribu après l'avoir embaumé à la manière égyptienne : le corps
est enduit de cire, le ventre vidé des entrailles et nettoyé est
rempli d'aromates et recousu. Chaque fois que le cortège funèbre
arrive dans une tribu, les membres de celles-ci se livrent à toutes
sortes de mutilations ; on se coupe un bout de l'oreille, on se
tond les cheveux, d'autres se font des incisions aux bras ou se
déchirent le front ou le nez ; certains s'enfoncent des flèches
dans la main gauche. Après quoi la tribu grossit le cortège et
la ronde continue jusqu'à ce qu'on arrive chez les Gérrhiens,
peuple le plus septentrional du groupe. Alors le cadavre est
déposé dans la chambre funéraire :

« *Dans l'espace laissé libre de la chambre, ils ensevelissent,
après les avoir étranglés, une des concubines du roi, son échanson,
un cuisinier, un palefrenier, un valet, un porteur de messages,
des chevaux, une part choisie de toutes ses autres appartenances,
et des coupes d'or (point du tout d'argent ni de cuivre) ; cela fait,
tous travaillent à élever un grand tertre, rivalisant avec zèle pour
qu'il soit le plus grand possible. Au bout d'un an, ils accomplissent
cette nouvelle cérémonie : ils prennent parmi les autres gens de
la maison du roi les plus aptes à le bien servir (ce sont des Scythes
de naissance ; sont domestiques du roi ceux à qui lui-même en
donne l'ordre, les Scythes n'ont pas de domestiques achetés) ; ils
étranglent donc une cinquantaine de ces serviteurs, et cinquante*

_____

(1) Walter v. Wartburg : Problèmes et méthodes de la linguistique.
P.U.F. 1946, p. 41.

chevaux les plus beaux. Des cinquante jeunes gens qu'on a étran-
glés, chacun est monté sur son cheval, voici comment : on enfonce
à travers chacun des corps, le long de l'épine dorsale, un morceau
de bois vertical allant jusqu'au cou ; de ce morceau de bois, une poin-
te dépasse en bas ; on la fiche dans un trou que présente l'autre
pièce de bois qui traverse le cheval. Après avoir dressé ce genre de
cavaliers en cercle autour du tombeau, les Scythes se retirent.
Voilà comment ils font les obsèques des rois » (1).

Il était nécessaire de citer entièrement ce passage pour donner une idée du niveau de la culture scythe au temps d'Hérodote.
Le principe de l'enterrement semble être inspiré des mœurs
égyptiennes ; mais la cruauté qui s'y greffe est un trait culturel
afférent au berceau nordique eurasiatique.

La vie est fondée sur une organisation sociale patriarcale
avec une tendance exagérée à la luxure caractéristique de ces
régions. Pendant les fêtes saquaïques de Mylitta un esclave
était intronisé, des courtisanes et toutes les autres appartenances
de la royauté étaient à sa disposition ; après quoi, il était brûlé vif.
Une promiscuité totale était de règle durant la fête. La religion
exigeait que les femmes se prostituent dans les temples (lieux
sacrés).

« En Aquisilène, c'est-à-dire dans la contrée située entre l'Eu-
phrate et le Mont Taurus, se trouvait un sanctuaire d'Anaïtis
dans lequel les jeunes filles les plus nobles se faisaient courtisanes
sacrées en sacrifiant leur virginité à la déesse. Elles étaient entou-
rées d'un profond respect et aucun homme n'hésitait à les prendre
pour femmes. Il existait, à Babylone, une prostitution semblable.
Mais tandis que les prostituées babyloniennes, vouées à Mylitta,
devaient se donner à tout venant, les femmes consacrées à Anaïtis
se réservaient aux hommes appartenant à leur classe sociale,
l'aristocratie » (2).

Ce genre de promiscuité, ainsi que les mythes de Ganymède,
de Sodome et Gomorrhe sont spécifiques de l'Eurasie et n'ont
pas leur équivalent dans la tradition, la mythologie, et la littérature africaine, qu'il s'agisse de l'Égypte ou de l'Afrique noire.

« Ce sont également les Egyptiens qui les premiers se sont fait

---

(1) *Herodote* : op. cit. Livre IV, par. 71 à 73.
(2) *Turel* : op. cit., p. 146.

une loi de ne pas s'unir à des femmes dans des sanctuaires et de n'y pas entrer en quittant des femmes avant de s'être lavés. Presque tous les autres hommes, Egyptiens et Grecs mis à part, s'unissent aux femmes dans les lieux saints ou, en se levant de leur lit, entrent dans un sanctuaire sans s'être lavés au préalable. Ils pensent qu'il en est des humains comme des bêtes : on voit, disent-ils, toute sorte de bétail et toute espèce d'oiseaux s'accoupler dans les temples des dieux ou les enclos sacrés ; si cela déplaisait aux dieux, les bêtes même ne le feraient pas. Voilà ce qu'ils disent à l'appui de leur conduite. Mais moi je ne les approuve point (1). »

Engels, après avoir analysé à son tour la prostitution des filles consacrées à Anaïtis et à Mylitta, aboutit à la même conclusion :

« *De semblables usages à travestissement religieux sont communs à presque tous les peuples asiatiques entre la Méditerranée et le Gange (2).* »

Tous les historiens et ethnologues qui ont comparé les sociétés africaines et asiatiques ont été amenés à considérer l'Asie Occidentale comme la terre de la luxure par opposition à la santé des mœurs africaines.

« *Comme déesse de la fécondité, Isis répondait aux grandes déesses-mères de l'Asie ; mais elle différait d'elles par la chasteté et la fidélité de sa vie conjugale : celles-là n'étaient pas mariées et avaient des mœurs dissolues ; Isis avait un mari et elle était pour lui une épouse fidèle, comme elle était une mère affectueuse pour son fils. Aussi sa belle figure de madone réflète-t-elle un état de société et de morale plus raffiné que les figures grossières, sensuelles et cruelles, d'Astarté, d'Anaïtis, de Cybèle et autres* » (3).

Les fêtes saquaïques étaient célébrées par les Babyloniens, les Arméniens et les Perses. Leur origine est très controversée. Pour certains historiens, elles sont d'origine babylonienne. On connaît le détail de leur rituel par des écrivains bibliques comme Ezéchiel. Turel soutient que, d'après la tradition, c'est Cyrus, roi des Perses, qui les aurait instituées à la suite d'une victoire

---

(1) *Herodote* : op. cit., Livre 2, par. 64.
(2) Engels : op. cit., p. 44.
(3) Frazer : op. cit., p. 132.

sur les Saques (ou Scythes) : elles seraient donc d'origine scythe et d'ailleurs elles ne différent, en rien, des mœurs scythes telles que nous les connaissons par Hérodote. En tous cas leur qualificatif saquaïque semble attester leur origine scythe. Leur étude devait donc terminer le paragraphe se rapportant aux Scythes et amorcer l'étude de la zone de confluence. On a voulu y voir un retour temporaire à l'égalité primitive ; quoi qu'il en soit, elles restent particulières à l'Asie et relèvent spécifiquement de la culture de cette région.

ZONE DE CONFLUENCE L'Asie occidentale est la véritable zone de confluence des deux berceaux, celle qui a été le plus âprement disputée par les deux mondes. Son étude offre donc un intérêt particulier en ce sens qu'elle conduit à la notion d'un véritable métissage des influences et des peuples venus des deux régions. L'aire géographique considérée ici est limitée par l'Indus.

ARABIE

Elle fut d'abord peuplée par les éléments méridionaux qui furent plus tard submergés par des populations venues du Nord et de l'Est.

Selon Lenormant un empire Kouschite se serait constitué primitivement sur toute l'Arabie. Ce fut l'époque personnifiée par les Adites — de Ad, petit-fils de Cham —.

Cheddade, fils de Ad, et constructeur du légendaire « Paradis terrestre » mentionné dans le Coran, appartient à cette période des premiers Adites. L'empire de ces derniers fut détruit au XVIIIe s. avant l'ère chrétienne par des tribus jectanides incultes venant du Nord-Est. Elles se mêlèrent à la population kouschite. La prophétie de Hud concerne cette invasion. Cependant, l'élément kouschite ne tarda pas à reprendre le dessus au point de vue politique et culturel ; ces premières vagues jectanides furent complètement absorbées par les Kouschites. C'est l'époque dite des seconds Adites.

« *Cependant après le premier trouble de l'invasion, comme l'élément kouschite était encore le plus nombreux dans la population, comme il avait une grande supériorité de connaissances et de civilisation sur les Jectanides à peine sortis de la vie nomade, il reprit bien vite la suprématie morale et matérielle, la domination politique. Un nouvel empire se forma, dans lequel le pouvoir appartint encore aux Sabéens, sortis de la race de Kousch. Pendant un certain nombre de siècles, les tribus jectanides vécurent sous les lois de cet empire, grandissant en silence. Pour la plupart, elles en adoptèrent les mœurs, la langue, les institutions, la culture, à tel degré que plus tard, lorsqu'on les voit saisir la domination, il n'en résulte aucun changement appréciable, ni dans la civilisation, ni dans le langage, ni dans la religion.*

L'âge de ce nouvel empire est pour les narrateurs arabes celui des seconds Adites » (1).

Ces faits sur lesquels les auteurs arabes eux-mêmes sont d'accord prouvent qu'il serait plus judicieux de considérer les Sémites et la culture sémite non comme une réalité sui-genéris mais comme le produit d'un métissage dont on connaît les composantes historiques. C'est pendant les premiers siècles de l'empire des Seconds Adites que l'Égypte conquit le pays au temps de la minorité de Thoutmosis III. Lenormant pense que l'Arabie est le Pays de Pount et de la Reine de Saba ; il faut rappeler que la Bible situe dans le même pays un des fils de Cham, Put. Au VIIIe s. avant l'ère chrétienne, les Jectanides, devenus suffisamment forts, se seraient emparés du pouvoir de la même manière — et vers la même époque — que les Assyriens à l'égard des Babyloniens, que Lenormant considère également comme des Kouschites.

« Mais tout en ayant les mêmes mœurs, le même langage, les deux éléments qui constituaient la population de l'Arabie méridionale demeuraient bien distincts et en antagonisme d'intérêt, comme dans le bassin de l'Euphrate, les Assyriens et les Babyloniens, dont les premiers étaient, de même, Sémites et les seconds Kouschites...

...Tant que dura l'Empire des seconds Adites, les Jectanides furent soumis aux Kouschites. Mais un jour vint où ils se sentirent assez forts pour être maîtres à leur tour. Ils attaquèrent les Adites sous la conduite de Iârob et parvinrent à en triompher : on fixe généralement la date de cette révolution au début du VIIIe siècle avant l'ère chrétienne » (2).

D'après Lenormant, après la victoire jectanide, une partie des Adites franchit la Mer Rouge au détroit du Bab el-Mandeb pour s'installer en Éthiopie, tandis que l'autre fraction restait en Arabie réfugiée dans les montagnes de l'Hadramaut et au-

---

(1) Lenormant : op. cit., pp. 260 à 261.
(2) Lenormant : op. cit., p. 373.

tres endroits, d'où le proverbe arabe : « *Se diviser comme les Sabéens* ».

Telle serait la raison pour laquelle l'Arabie Méridionale et l'Éthiopie seraient devenues inséparables au point de vue linguistique et ethnographique.

« *Longtemps avant la découverte de la langue et des inscriptions hymyaritiques, on avait remarqué que le ghez, ou idiome abyssin, est un reste vivant de l'antique langue du Yémen* » (1).

Le régime des castes, étranger aux « Sémites et aux Aryens », était à la base de l'organisation sociale, comme à Babylone, en Égypte, en Afrique Noire, au Royaume de Malabar en Inde.

« *Ce régime est essentiellement kouschite et partout où nous le retrouvons, il est facile de constater qu'il procède originairement de cette race. Nous l'avons vu florissant à Babylone. Les Aryas de l'Inde, qui l'adoptèrent, l'avaient emprunté aux populations de Kousch qui les avaient précédés dans les bassins de l'Indus et du Gange* ....*
...Lockmân, le représentant mythique de la sagesse adite, rappelle Esope, dont le nom a semblé à M. Welcker déceler une origine éthiopienne. Dans l'Inde aussi, la littérature des contes et des apologues paraît venir des Soûtras. Peut-être ce mode de fiction caractérisé par le rôle qu'y joue l'animal, nous représente-t-il un genre de littérature propre aux Kouschites* (2). »

Il faut rappeler que Lockmân qui appartient à la seconde période des Adites, est aussi le constructeur de la fameuse digue de Mareb dont les eaux

« *suffisaient à arroser et à fertiliser la plaine jusqu'à sept journées de marche autour de la ville... Il en existe encore, de nos jours, des ruines considérables que plusieurs voyageurs ont visitées et étudiées* » (3).

Les Jectanides « *qui se trouvaient encore, au moment de leur arrivée, dans un état presque barbare* » n'introduisirent, à proprement parler, que le système des tribus pastorales caractéristiques du berceau nordique et la féodalité militaire.

_____

(1) Lenormant : op. cit., p. 374.
(2) Id., op. cit., pp. 384 et 385.
(3) Id., op. cit., p. 361.

« *Par dessus ce fond, toujours conservé, d'institutions et de mœurs empruntées aux Adites de la race de Kousch, par dessus le régime des castes, les Jectanides, une fois qu'ils furent les maîtres, implantèrent une organisation politique qui rappelle celle de la plupart des autres peuples sémitiques, et qui diffère de ce que nous voyons dans les empires chamitiques, en Égypte, en Phénicie, à Babylone, chez les Nârikas du Malabar, le système des tribus et la féodalité militaire, deux institutions chères à tous les Arabes* (1). »

La religion est d'origine kouschite et semble une émanation directe de celle des Babyloniens ; elle restera inchangée jusqu'à l'avènement de l'Islam.

« *Il est impossible de ne pas reconnaître les dieux chaldéo-assyriens Illu, Bel, Samas, Istar, Sin, Samdan, Nisruk, dans les dieux du Yémen, Il, Bil, Schmas, Athor, Sin, Sindan, Nasr* » (2).

Le dieu Il était l'objet d'un culte national ; il jouissait des qualificatifs suivants : Seigneur des Cieux, Miséricordieux, etc... La seule Triade vénérée était : Vénus-Soleil-Lune, comme à Babylone ; la religion avait un caractère sidéral très marqué, solaire surtout ; on priait au Soleil aux différents moments de son développement. Il n'y avait ni idolâtrie, ni images, ni sacerdoce. On adressait une invocation directe aux sept planètes. Le jeûne de trente jours existait déjà — semblable à ceux qu'on pratiquait en Égypte —. On priait sept fois par jour le visage tourné vers le Nord. Ces prières sont apparentées à celles de la religion musulmane. Tous les éléments nécessaires à l'éclosion de l'Islam étaient donc en place plus de 1.000 ans avant la naissance de Mahomet, et l'Islam apparaîtra comme une « épuration » du sabéisme par « l'envoyé de Dieu ». Cette superposition des deux influences méridionales et nordiques sur la presqu'île arabique s'est produite dans tous les domaines et n'a pas épargné la littérature et les héros romanesques.

« *Malgré le prix qu'ils attachaient à leur généalogie et au privilège du sang, les Arabes, surtout les habitants sédentaires des villes ne conservèrent pas leur race pure de tout mélange ......*
...Mais l'infiltration de sang nègre, qui s'est répandue dans toutes les parties de la péninsule et paraît devoir un jour en changer

---

(1) Lenormant : op. cit., p. 385.
(2) Id., op. cit., p. 392.

complètement la race, commença dès une très haute antiquité. Elle
se produisit d'abord dans le Yémen, que sa situation géographique
et son commerce mettaient en rapports continuels avec l'Afrique...
...La même infiltration fut plus lente et plus tardive dans le
Hedjâz ou dans le Nedjd. Mais elle s'y produisit aussi dès une date
plus haute qu'on ne paraît généralement le croire. Le héros roma-
nesque de l'Arabie anté-islamique, Antar, est par sa mère un mu-
lâtre, et pourtant sa face toute africaine ne l'empêche pas d'épouser
une princesse des tribus les plus fières de leur noblesse, tant ces
mélanges mélaniens étaient habituels et admis depuis longtemps
dans les mœurs, au cours des siècles qui précédèrent immédiate-
ment Mahomet » (1).

Le caractère mixte des langues sémitiques s'explique de
même. C'est ainsi qu'on rencontre des racines communes aux
langues arabes, hébraïques, syriaque, et aux langues indo-européennes. Ce vocabulaire commun est plus important que ne le
laisse entrevoir la liste trop courte qui suit. Aucun contact entre
Nordiques et Arabes à l'intérieur de la période historique de
l'humanité ne permet de l'expliquer ; c'est une parenté originelle
et non un emprunt.

arabe	*français*	*anglais*	*allemand*
ain	œil	eye	Auge. (occulus latin)
ard	terre	earth	Erde
beled	lande	land	Land
aswad	noir		schwarz

Par ailleurs, certains mots arabes semblent d'origine égyptienne pharaonique :

arabe	*égyptien*
Nabi = prophète	Nab = le maître (du Savoir)
Ba-ra-ka = bénédiction divine ;	Ba-Ra-Ka = notions divines

Il est remarquable que beaucoup de termes religieux arabes
puissent être obtenus par une simple combinaison des trois no-

---

(1) Lenormant : Op. cit., pp. 429-430.

tions ontologiques égyptiennes BA, RA, KA. On peut citer, par exemple :

KABAR (a) = action de lever les mains pour prier.
RAKA = action de poser le front sur la terre.
KAABA = lieu saint de La Mecque (1).

Il ressort suffisamment de ce qui précède que l'Arabie fut d'abord habitée par des populations méridionales, sédentaires et agricoles ayant préparé la voie aux Nomades dans les différents domaines du progrès. Dans cette première société, la femme jouissait de tous les avantages corrélatifs au régime matriarcal : la preuve nous en est donnée par le fait qu'elle pouvait être reine. Le règne de la Reine de Saba qui dominait à la fois l'Éthiopie et l'Arabie méridionale, fut le plus glorieux et le plus célèbre de l'histoire de cette région. Le triomphe de l'élément nomade nordique s'accompagnera d'une prépondérance du système patriarcal teinté d'anomalies apparentes, survivances du régime antérieur. Ainsi, la dot est donnée à la femme, comme dans le régime matriarcal. Ce fait ne peut s'expliquer qu'en invoquant l'influence du sabéisme sur la société islamique.

ASIE OCCIDENTALE : PHÉNICIE

Il faut la distinguer essentiellement d'Israël dont le nom ne sera mentionné dans les textes historiques qu'à partir de la XIXᵉ dynastie égyptienne, alors que la Phénicie, c'est-à-dire Canaan, était déjà vieille de plus d'un millénaire.

L'homme trouvé en Canaan à la préhistoire, le Natouféen, est un méridional ; l'industrie capsienne qui aurait irradié depuis l'Afrique du Nord (région de Tunis) jusqu'à cet endroit est également d'origine méridionale. Selon la Bible, quand les premières populations nordiques sont arrivées sur les lieux, elles y ont trouvé un peuple du Sud : les Cananéens, descendants de Canaan, frère de Mizraïm l'Égyptien et de Kousch l'Éthiopien, tous fils de Cham.

« *Et l'Eternel avait dit à Abraham : Sors de ton pays et de ton parentage, et de la maison de ton père, et viens au pays que je te montrerai* ....
Abraham donc sortit, comme l'Eternel lui avait dit, et Lot alla avec lui ....
Abraham prit aussi Saraï sa femme, et Lot, fils de son frère,

_____

(1) Cf. note en fin de chapitre page 108.

et tout le bien qu'ils avaient acquis, et les personnes qu'ils avaient eues à Caran et ils sortirent pour venir au pays de Canaan, et ils y entrèrent. Et Abraham passa au travers de ce pays jusqu'au lieu de Sichem et jusqu'en la plaine de Morée, et il y avait alors des Cananéens dans ce pays (1). »

Après de multiples péripéties les Cananéens et les tribus nord-orientales, symbolisées par Abraham et sa descendance (lignée d'Isaac) fusionnèrent pour devenir, avec les temps, le peuple hébraïque d'aujourd'hui :

« *Hémor donc et Sichem son fils vinrent à la porte de leur ville, et parlèrent aux gens de leur ville, et leur dirent : Ces gens-ci sont fort paisibles, ils sont avec nous ; qu'ils habitent au pays, et qu'ils y trafiquent. Et voici, le pays est d'une assez grande étendue pour eux ; nous prendrons pour nos femmes leurs filles et nous leur donnerons les nôtres* » (2).

Ce passage qui, dans le contexte biblique, passe pour une ruse destinée à supprimer les Cananéens, n'en trahit pas moins les impératifs économiques qui à l'époque ont dû régir les relations entre envahisseurs et autochtones. L'histoire de la Phénicie devient donc plus compréhensible si l'on tient compte des données bibliques selon lesquelles les Cananéens — plus tard appelés Phéniciens — étaient à l'origine des Méridionaux sédentaires, agricoles, auxquels sont venus se mêler, par la suite, des tribus nomades venues du Nord-Est. Dès lors, le terme de Leuco-Syriens appliqué à certaines populations de cette région, au lieu d'être une contradiction comme le croit Hoefer est une confirmation du témoignage de la Bible :

« *Le nom de Syriens paraît s'être étendu depuis la Babylonie jusqu'au Golfe d'Issus, et même anciennement depuis ce Golfe jusqu'au Pont-Euxin. Aussi les Cappadociens, tant ceux du Taurus que ceux du Pont, ont conservé jusqu'à présent le nom de Leuco-Syriens (Syriens blancs) comme s'il y avait aussi des Syriens noirs* » (3).

C'est peut-être une parenté originelle qui expliquerait par-

---

(1) *Genèse* : 12, 1 à 6.
(2) *Genèse* : 34, 20 et 21.
(3) Hoefer ; Chaldée, Babylonie (Collection l'Univers), éd. Didot frères, 1852, p. 158.

tiellement l'alliance — durant toute l'histoire — de Mizraîm et de Canaan. Même aux époques les plus troublées, l'Égypte pouvait compter sur la Phénicie comme on peut, en quelque sorte, compter sur son frère.

« Parmi les récits monumentaux gravés sur les murailles des temples de l'Égypte et relatifs aux grandes insurrections qui, pendant cet espace de cinq siècles, éclatèrent à diverses reprises en Syrie contre la suprématie égyptienne, à l'instigation des Assyriens, ou Rotennou, ou bien des Héthéens septentrionaux ou Khétas, dont les plus formidables furent domptées par Thoutmès III, Séti Ier, Ramsès II et Ramsès III, jamais nous ne voyons figurer dans les listes des révoltés et des vaincus le nom des Sidoniens, de leur capitale, et d'aucune de leurs cités. ....
...

Un précieux papyrus du Musée britannique contient le récit fictif du voyage fait en Syrie par un fonctionnaire égyptien à la fin du règne de Ramsès II, après la conclusion de la paix définitive avec les Héthéens ....
...

Dans toute cette contrée, le voyageur est sur terre égyptienne, il circule avec la même liberté, la même sécurité qu'il le ferait dans la Vallée du Nil, et même, en vertu de ses fonctions, il y fait acte d'autorité » (1).

Il ne faut, certes, pas minimiser le rôle des relations économiques entre l'Égypte et la Phénicie pour expliquer cette loyauté qui semble avoir existé entre les deux pays.

On comprend, à partir de cette parenté originelle, que la religion et les croyances cananéennes ne soient que les répliques de celles de l'Égypte. La cosmogonie phénicienne est connue par les fragments de Sanchoniaton, comme il est dit ci-dessus. D'après ces textes, il y avait à l'origine une matière incréée et chaotique, en perpétuel désordre (Bohu) ; le Souffle (Rouah) planait au-dessus du Chaos. L'union de ces deux principes fut appelée Chephets, le Désir qui est à l'origine de toute la création.

On est frappé par la similitude de cette Trinité cosmique avec celle que l'on trouve en Égypte telle que la rapporte Amélineau dans « Prolégomènes à l'étude de la religion égyptienne ». Selon la cosmogonie égyptienne aussi, il y eut à l'origine une matière chaotique incréée, le Noun primitif ; elle contenait en

---

(1) Lenormant : op. cit., pp. 484 à 486.

germes, à l'état de principes — les archétypes futurs de Platon — tous les êtres possibles. Le principe ou dieu du Devenir, Khepru, était également inclus. Dès que le Noun — ou Nén — aura engendré le démiurge Ra, son rôle sera terminé ; désormais la filiation sera ininterrompue jusqu'à Osiris, Isis et Horus, ancêtres des Égyptiens. La Trinité primitive est alors passée du plan de l'Univers à celui de l'Humanité.

Dans la cosmogonie phénicienne, de même, on arrive par générations successives au même ancêtre égyptien, Misor, qui engendrera Taaut, inventeur des lettres et des sciences (qui n'est autre que le Thot égyptien) ; et on aboutit, par filiation, à Osiris et Canaan. Rappelons que Misor n'est autre que Mizraïm.

« *Et toutes ces choses furent consignées dans les livres sacrés, sous la direction de Taaut par les sept Cabires, fils de Sydyk et leur huitième frère, Eschmun. Et ceux qui en recueillirent l'héritage et en transmirent l'initiation à leurs successeurs furent Osiris et Canaan, l'ancêtre des Phéniciens* » (1).

Les récentes découvertes archéologiques confirment l'origine méridionale des Cananéens. Les textes de Ras-Shamra situent le berceau des héros nationaux dans le Sud, aux frontières mêmes de l'Égypte.

« *Les textes de Ras-Shamra ont été une occasion d'étudier de nouveau l'origine des Phéniciens. Tandis que les tablettes de la vie courante font état des divers éléments étrangers qui participaient aux échanges quotidiens de la cité, celles qui sont consacrées à la recension des mythes et des légendes font allusion à un passé tout différent et, alors qu'elles intéressent une cité de l'extrême nord phénicien, adoptent l'extrême sud, le Negeb, comme cadre des événements qu'elles décrivent. Elles assignent aux héros nationaux, aux ancêtres, un habitat situé entre la Méditerranée et la Mer Rouge. Cette tradition a d'ailleurs été consignée par Hérodote (VIᵉ siècle) et avant lui par Sophonie (VIIᵉ)* » (2).

Géographiquement, la portion de terre située entre la Mer Rouge et la Méditerranée est, essentiellement, l'Arabie Pétrée, pays des Anous qui ont fondé On du Nord, (Héliopolis) aux temps anté-historiques.

---

(1) Lenormant : op. cit., p. 583.
(2) Dʳ G. Contenau : Manuel d'Archéologie Orientale, IV, Éd. A et J. Picard et Cⁱᵉ, 1947, p. 1791.

Les Phéniciens, dans la mesure où ils ont fusionné avec les Hébreux, constituent ce qu'on appelle la première branche sémite, à partir d'Abraham, lignée d'Isaac — tandis que les Arabes forment la seconde branche, — lignée d'Ismaël —. Dans l'un et l'autre cas, le substratum méridional est évident ; c'est pourquoi il n'est pas historiquement correct d'en faire abstraction pour ériger en absolu le sémitisme. Celui-ci doit être considéré comme la synthèse la plus prononcée des éléments nordiques et méridionaux.

INDUS ET MÉSOPOTAMIE

Les sites de Mohenjo-Daro et de Harappa ont révélé l'existence d'une civilisation urbaine et agricole remontant vraisemblablement au troisième millénaire, qui a périclité brusquement (1.500 ans avant J. C.), avec l'invasion des Aryens. Elle est caractérisée par un urbanisme très développé (usage des égouts). Les villes, essentiellement commerçantes, n'étaient pas entourées de fortifications. La langue parlée n'était pas indo-européenne ; d'après les spécialistes, c'était probablement une langue dravidienne, ou mounda. L'écriture était évoluée : 400 caractères étaient employés, qu'on peut ramener, d'après les études faites, à 250, alors que l'écriture cunéiforme de l'époque contemporaine d'Ourouk contenait encore 2.000 signes. Les fouilles archéologiques ont donné la preuve qu'à l'époque d'El'Obeid en Mésopotamie, la civilisation de l'Indus avait déjà atteint son apogée. C'est la raison pour laquelle on a de plus en plus tendance à expliquer la Mésopotamie par les civilisations de l'Indus. Ces dernières, comme toutes les civilisations méridionales, restèrent stables jusqu'à leur destruction par un élément extérieur : l'invasion aryenne de — 1500.

A partir de cette date toutes les traces de civilisation matérielle disparaissent. Il faudra attendre jusqu'au IIIe siècle avant J. C. pour assister à une sorte de renaissance avec l'empereur Açoka.

La destruction des sites de l'Indus doit être attribuée à l'invasion aryenne et non à une extension du désert sur la plaine du Sind, car cette région était encore fertile quand elle fut traversée par Alexandre le Grand au IVe s. avant J. C.

Le culte phallique, si répandu en Inde, est antérieur à l'invasion aryenne : c'est un culte de la fécondité, indice d'une vie sédentaire, agricole et matriarcale. Il est, sans aucun doute, imputable à l'élément méridional aborigène qui a précédé l'élément nordique sur la presqu'île.

Les faits qui suivent, concernant la civilisation de l'Inde, sont extraits des travaux de Jeannine Auboyer (1).

A l'arrivée des Aryens (entre 1500 et 800 av. J.-C.), l'Inde du Nord-Ouest était habitée par une population dont la couleur de peau sombre (varna) avait frappé les nouveaux venus, de même que leur nez écrasé et leur langage. On les désigna du terme général de Dravidiens ; certains de leurs noms particuliers (Aja = chèvre) font penser au totémisme. Ils opposèrent une résistance opiniâtre aux envahisseurs, mais se métissèrent avec eux au cours du temps. « *Car on signale des mariages mixtes, prouvant qu'à cette époque reculée les conquérants Arya n'ont pas encore ressenti la nécessité, comme ce sera plus tard le cas, de se garantir trop rigoureusement contre les méfaits possibles du métissage* » (2).

Au nomadisme des nouveaux venus s'opposait la vie sédentaire et agricole des Dravidiens. On peut ici rappeler les considérations formulées au sujet du terme *labourer* dans les différents dialectes indo-européens. L'agriculture n'étant pas encore entrée dans les mœurs des Arya au moment de leur arrivée, le terme désignant cette activité est absent dans leur langage et ils durent adopter un mot dravidien. « *Le labourage — qui est désigné par un mot commun aux Indiens et aux Iraniens — se fait à l'aide d'une charrue qui est vraisemblablement une araire tirée par deux moutons.* » ....
....

« *Cette vie rurale et agraire repose sur une société villageoise de type patriarcal qui offre aussi des traces de matriarcat et dont les actes principaux sont basés sur le sacrifice (3).* »

La vache est déjà sacrée ; il est interdit de la tuer et de la manger. Peut-être était-il plus économique de la conserver pour le lait et la multiplication du troupeau.

« *L'abandon des filles* », les « *collèges d'Hétaïres* », le « *foyer domestique* », « *l'incinération* », tous ces traits culturels existaient à l'époque védique et étaient apportés, sans aucun doute, par les Aryas.

« *Toute la vie familiale est commandée par le rituel domestique.*

---

(1) A. Aymard et J. Auboyer : L'Orient et la Grèce antique (coll. Histoire Générale des Civilisations, P.U.F., 1955.
(2) Id., p. 547.
(3) Id., pp. 548 à 550.

Il a pour centre le feu (agni) *qui est installé dans la maison au milieu d'une clôture de rondins ou bien au dehors et qui est le véritable maître de maison (gârhapatya)* (1).

....

« *On fait au mort une toilette complète et on le transporte en cortège..... Une fois arrivé sur le lieu de la crémation, on procède à une dernière toilette du mort et on le dispose sur le bûcher ; sa veuve prend place à ses côtés, mais est invitée à redescendre (alors que, plus tard, elle y sera bel et bien brûlée) et à devenir l'épouse du frère du défunt* » (2).

A côté de la monogamie on pratiquait la polygamie dans les classes dirigeantes, c'est-à-dire chez les Aryas et les Dravidiens de haut rang. En effet à l'époque védique « *les castes ne sont pas aussi strictement délimitées qu'aux époques suivantes et ne sont pas encore étanches entre elles* » (3).

On voit donc que sur la presqu'île indienne la superposition des deux cultures méridionale et nordique, matriarcale et patriarcale, ne fait aucun doute. Ici, moins que partout ailleurs, on ne saurait parler d'un passage universel, c'est-à-dire interne chez le même peuple, de l'une à l'autre. Il y a eu recouvrement et triomphe, avec une certaine altération, de la culture des dirigeants.

MÉSOPOTAMIE

A l'origine, aux environs de — 3000, il faut distinguer trois régions : l'ancien Elam ou Susiane, Sumer avec Our pour capitale et Akkad avec Agadé. L'histoire mésopotamienne de ces premiers millénaires est mal connue. Cependant, en ce qui concerne l'Elam, l'archéologie, grâce aux fouilles de Dieulafoy, jette une lumière curieuse sur la nature des premières dynasties. En démolissant un mur sassanide construit avec des matériaux plus anciens trouvés sur les lieux, on découvrit des monuments qui remontent à la période élamite de l'histoire de Suse.

« *En enlevant une tombe placée en travers d'un mur de briques crues, faisant partie de la fortification de la porte élamite, les ou-*

----

(1) A. Aymard et J. Auboyer, op. cit., p. 555.
(2) Id., op. cit., p. 556.
(3) Id., op. cit., p. 550.

vriers mirent au jour une urne funéraire, et autour de l'urne une gaine en maçonnerie composée de briques émaillées. Elles provenaient d'un panneau où était représenté un personnage superbement vêtu d'une robe verte, surchargée de broderies jaunes, bleues et blanches, d'une peau de tigre et porteur d'une canne ou d'une lance d'or. Ce qu'il y avait de plus singulier, c'est que le personnage dont j'ai retrouvé le bas de la figure, la barbe, le cou et la main, est noir. La lèvre est mince, la barbe abondante, les broderies des vêtements, d'un caractère archaïque, semblent l'œuvre d'ouvriers babyloniens.

Dans d'autres murs sassanides construits avec des matériaux antérieurs, on trouva des briques émaillées fournissant deux pieds chaussés d'or, une main fort bien dessinée ; le poignet est couvert de bracelets, les doigts serrent la haute canne qui devint sous les Achéménides l'emblème de la puissance souveraine ; un morceau de robe blasonnée aux armes de Suse (c'est-à-dire une vue de la ville à l'assyrienne) en partie cachée sous une peau de tigre. Enfin, une frise fleuronnée à fond brun. Mains et pieds étaient noirs. Il était même visible que toute la décoration avait été préparée en vue de l'assortir avec le ton foncé de la figure. Seuls les puissants personnages avaient le droit de porter de hautes cannes et des bracelets ; seul le gouverneur d'une place de guerre pouvait en faire broder l'image sur sa tunique. Or, le propriétaire de la canne, le maître de la citadelle est noir : il y a donc les plus grandes probabilités pour que l'Elam ait été l'apanage d'une dynastie noire, et si l'on s'en réfère même aux caractères de la figure déjà trouvée, d'une dynastie éthiopienne. Serait-on en présence de l'un de ces Ethiopiens du Levant dont parle Homère ? Les Nakhuntas étaient-ils les descendants d'une famille princière apparentée aux races noires qui régnèrent au sud de l'Egypte ? » (1).

Le Docteur Contenau arrive à des constatations semblables :

« Le Susien, notamment, produit probable de quelque métissage de Kouschite et de Nègre avec son nez relativement plat, ses narines dilatées, ses pommettes saillantes ses lèvres épaisses, est un type de race bien observé et bien rendu » (2).

De très bonne heure cet élément méridional a dû se métisser avec un élément nordique. C'est ce que semble attester l'examen

---

(1) Cité par Lenormant, op. cit., pp. 96 et 98.
(2) G. Contenau, op. cit., p. 97.

de la population actuelle dont les résultats sont encore rapportés par le Docteur G. Contenau citant Houssaye :

> « *Des Aryano-Négroïdes correspondant aux Susiens anciens, qui appartenaient en grande partie aux Négritos, race noire de petite taille, de faible capacité crânienne..........* »

Il s'agit d'une des trois couches de la population actuelle. Le Docteur Contenau poursuit :

> « *Bien que ce classement puisse subir quelques retouches, la place qu'il fait aux Négroïdes est à retenir* » (1).

On ne sait pratiquement rien sur l'organisation de la famille dans l'ancien Elam. Les documents que l'on possède, comme il ressort de ce qui précède, permettent seulement d'affirmer l'antériorité d'un substratum méridional ; or, on sait qu'à ce dernier est liée la vie agricole, sédentaire et matriarcale. L'invasion aryenne, à partir du plateau de l'Iran, sera ininterrompue jusqu'aux Mèdes et Perses qui apporteront, entre autres pratiques nordiques, le culte si caractéristique du feu.

Quant aux Sumériens, on n'est pas encore sur le point de percer le mystère de leurs origines ; mais, on sait d'une façon certaine qu'ils n'étaient ni des Aryens (c'est-à-dire des Indo-Européens), ni des Sémites, ni des Jaunes. Ils étaient sédentaires et agriculteurs, pratiquaient déjà l'irrigation. On fait remonter la période la plus ancienne de leur civilisation à — 3000 surtout pour la faire correspondre au début de l'histoire égyptienne, « par solidarité » (2). Pendant longtemps, il n'y eut que des Royaumes-Cités, bien que la basse Mésopotamie présente tous les caractères favorables à une unification territoriale. Il faut attendre jusque vers — 2100, à l'époque dite babylonienne d'Hammourabi, pour assister à la naissance du premier Empire Mésopotamien. L'histoire sumérienne présente une particularité importante : toute sa première période ne nous est connue que par inférences à partir du Code d'Hammourabi.

En étudiant de près les documents babyloniens, tant l'écriture que le système d'organisation, les spécialistes s'aperçurent que cette époque n'est pas un début, mais un stade avancé, impliquant une période antérieure. Et c'est ainsi qu'on découvrit la période dite sumérienne.

---

(1) G. Contenau : op. cit., p. 98.
(2) G. Contenau : *La Civilisation des Hittites et des Mitanniens*, Payot, Paris, I, 1934, p. 48-49.

Le seul règne de la période Sumérienne qui a laissé des vestiges assez mémorables est celui de Goudéa. On possède de lui une série de statues, assez énigmatiques, de par le choix invariable de la pierre (diorite noire), la mutilation presque systématique des statues, et la particularité des traits du visage. L'une de ces statues, trouvée à Tello, représente Goudéa tenant sur ses genoux le plan d'un temple destiné au dieu Nin-Girsou : une inscription qui glorifie le dieu contient une idée qui semble être à l'origine des fêtes saquaïques. En effet, il y est dit qu'à l'inauguration du Temple, il y eut sept jours de fête pendant lesquels une égalité complète régna parmi les habitants de la cité :

« La servante rivalisa avec sa maîtresse, le serviteur marcha de pair avec son maître ; dans ma ville le puissant et le faible allèrent côte à côte ; sur la mauvaise langue, les mauvaises paroles furent changées en bonnes »

Cette inscription de la statue de Goudéa, dite l'Architecte, (— 2400) est le plus ancien document connu concernant les fêtes saquaïques : elle renforce la thèse de l'origine babylonienne de ces fêtes. Peut-être les Scythes les ont-ils adaptées au point qu'elles changèrent complètement de but.

André Aymard, en analysant le Code d'Hammourabi, essaie de dégager la législation familiale babylonienne et la stratification sociale :

« La législation hammourabienne précède de plusieurs siècles dans le temps la législation assyrienne. Elle traduit pourtant, à coup sûr, un état social qu'on serait tenté de considérer comme plus évolué. Mais il faut aussi en l'espèce, tenir compte du caractère ethnique. Il ne paraît guère surprenant que, chez un peuple guerrier comme le peuple assyrien, la femme soit maintenue dans une situation juridique inférieure » (1).

Autant dire que la condition de la femme a rétrogradé avec l'arrivée des Sémites. Auparavant, la femme jouissait d'une personnalité juridique supérieure à celle de la grecque et de la romaine. Une monogamie tempérée était de règle. Mais un autre

---

(1) A. Aymard et J. Auboyer : L'Orient et la Grèce antique, p. 132.

fait rapporté par André Aymard souligne peut-être davantage les caractères Kouchites de la société babylonienne déjà soulignés par Lenormant.

« *En effet, si les enfants nés du mariage d'une fille libre avec un esclave sont libres comme leur mère, ceux qui naissent des rapports du maître avec une concubine esclave ne sont affranchis de plein droit, en même temps que leur mère, qu'à la mort de leur père* » (1).

Le point de vue méridional et matriarcal, selon lequel l'enfant est ce qu'est sa mère, semble ici triompher dans le Code d'Hammourabi. Qu'Hammourabi soit un Sémite venu de l'ouest ou d'ailleurs, la société qu'il a organisée par sa législation n'en était pas moins imprégnée de kouchitisme. Tout se passe comme si un fond kouchitique se perpétuait sur le plan culturel, malgré les changements ethniques, fréquents dans cette région. Mais ce fond devait s'altérer profondément avec le temps.

Une autre remarque d'André Aymard permet de mieux dégager cette idée.

« *L'originalité de cette répartition* (la société en trois classes) *est l'existence de la classe intermédiaire. Nous en ignorons l'origine ; nous ignorons également si elle est confinée dans des professions déterminées. Il faut nous résigner à constater uniquement qu'elle existe et que la loi la subit a mi-chemin des deux autres...........*

Le Code de Hammourabi atteste fortement l'existence, au moins dans les villes, de trois catégories d'êtres humains : l'homme tout court, c'est-à-dire l'homme par excellence, l'homme libre ; l'homme qui se prosterne, le subalterne, l'inférieur, l'homme de peu ; enfin, l'esclave, propriété d'un autre homme, libre ou subalterne » (2).

Comme on le verra au chapitre VI, et surtout dans *L'Afrique Noire précoloniale*, cette stratification sociale est identique, à tous les points de vue, à celle d'une société à castes, au sens africain du terme, c'est-à-dire au sens de Lenormant et de Renan. C'est ce qui a conduit Lenormant à classer la société babylonienne parmi celles à castes. Dans ces dernières, en effet, l'ensemble des hommes sans profession manuelle, guerriers et prêtres, constituent la caste supérieure, ou plus exacte-

---

(1) A. Aymard et J. Auboyer : L'Orient et la Grèce antique, p. 130.
(2) A. Aymard et J. Auboyer : op. cit., p. 129.

ment les « *sans-castes* », c'est-à-dire, les hommes par excellence dont il vient d'être question. Le terme d'*homme-de-caste* est réservé à la catégorie subalterne d'hommes libres qui pratiquent l'ensemble des métiers artisanaux ; il ne peut être l'esclave de personne, il peut même posséder des esclaves ; mais, dans le cadre des rapports sociaux, il doit se « prosterner » devant l'homme de la première catégorie, il doit lui céder le pas. Son rang de fortune ne pourra jamais influencer ou améliorer son rang social. Enfin, l'ensemble des esclaves forme une troisième catégorie.

L'origine des Chaldéens n'est pas plus certaine que celle des Sumériens, bien qu'on considère les premiers plus volontiers comme des Sémites. D'après Diodore de Sicile, le premier groupement humain auquel la Chaldée devra son nom était une caste de prêtres égyptiens qui avaient émigré et qui, s'étant fixée sur le haut-Euphrate, continuait à pratiquer et à enseigner l'astrologie selon les principes transmis par la caste mère (1).

Quoi qu'il en soit, ce noyau primitif n'a pas dû résister longtemps, sur le plan temporel, à l'invasion d'un élément ethnique différent ; c'est sur le plan intellectuel et spirituel que sa résistance a dû être plus vivace, qu'il s'est perpétué.

Vers 1250 avant notre ère, les Assyriens s'emparèrent de Babylone. C'était assurément une victoire de montagnards pasteurs, parlant une langue sémitique très proche de l'akkadien, tandis que la langue sumérienne n'était ni sémitique, ni indo-européenne, ni chinoise.

Les Assyriens établirent une société patriarcale d'un type très net. Il est impossible, en étudiant les mœurs et les lois de ce peuple, de penser un moment qu'il ait jamais pu effleurer un régime matriarcal.

BYZANCE

L'Empire Romain survécut en Orient, pendant 9 siècles, avec Byzance comme capitale, qui était devenue la ville de Constantin, ou Constantinople.

Aucun texte, aucun usage ne réglait la succession au trône : une indétermination absolue régnait à ce sujet. Les intrigues de Palais donnaient les meilleurs droits et les meilleures chances. Quelquefois les empereurs, de leur vivant, associaient leur héritier au trône : ce fut le cas de Justinien, secondé par sa femme

---

(1) *Diodore de Sicile* : Histoire Universelle, Livre I, section I, pp. 56-57 (traduction : Abbé Terrasson, 1758).

l'impératrice Théodora. Celle-ci, tout en sachant se montrer une impératrice digne de son rang, n'en était pas moins, quant à ses origines, une courtisane qui s'est élevée graduellement par intrigues. C'est grâce à sa présence d'esprit que Justinien a pu mâter la fameuse révolte spontanée de l'hippodrome où 30.000 manifestants auraient été massacrés (1).

Avec les Porphyrogénètes on tenta d'instaurer un usage curieux : pour être héritier, il fallait naître à Constantinople, dans la Salle de pourpre du Palais. Dans cette société complexe tout semblait être dominé par une cruauté raffinée. La reine Irène, contemporaine de Charlemagne, qui régna seule, n'en appartient pas moins à cette catégorie de souveraines asiatiques dont on ne saurait rattacher le règne à quelque pratique matriarcale. Il en sera de même plus tard pour les reines de la Russie tsariste qui a subi l'influence de Byzance.

Dans toute l'étendue de la zone de confluence, depuis l'Arabie jusqu'à l'Indus, il a été possible, dans une certaine mesure, sur la base des documents trouvés, et quelquefois malgré la minceur de ceux-ci, de décomposer les différentes sociétés rencontrées et étudiées en leurs composantes historiques méridionale et nordique pour mieux les analyser et pénétrer leur essence.

On a pu mettre partout en évidence la pré-existence d'un substratum méridional qui sera tardivement recouvert par un apport nordique. Mais les problèmes eussent été simples si la réalité ne présentait pas souvent un caractère embarrassant, si on ne rencontrait pas, ici et là, dans les différents berceaux, des anomalies apparentes.

---

(1) Theodora excerça le métier de comédienne avant de devenir impératrice par intrigues.
L'impératrice Théophano femme de Romain II était une fille de cabaretier qui dut son ascension à ses propres intrigues.

LES TRILITÈRES VALAFS (voir p. 94-95).

Les trilitères valafs semblent provenir en majeure partie d'une ancienne préfixation qui n'est plus sentie aujourd'hui.

ex : djgen   dja   bôt → dja bôt → djabôt = femme qui porte au
     femme qui   porte au dos   dos, mère de famille.

ex :   aren   bu   sèv → bu sèv → busèv → bûsé = petite graine
       arachide qui   petite   d'arachide

ex :   vay   djay   mber → djay mber → djambâr ? = courageux
       le gars   qui   champion

Certaines préfixations récentes sont encore senties

ex :   nit   ku   gav → ku gav = qui est rapide
       l'homme   qui   rapide

ex :   nit   ku   bah → ku bah = qui est bon
       l'homme   qui   bon

                                                    etc...

Il ne semble pas téméraire d'expliquer le « trilitérisme » sémite par la généralisation de ce mode de préfixation. On comprendrait pourquoi en supprimant la première consonne d'une racine arabe par exemple, on tombe très souvent sur une racine africaine ou indo-européenne.

ex : b - led → land = pays (indoeuropéen)

Le bilitérisme apparaîtrait donc comme l'état primitif de la langue.

CHAPITRE IV

Anomalies Relevées dans les Trois Zones

LEUR EXPLICATION

AFRIQUE Même dans ce berceau qui paraît celui du matriarcat par excellence, on relève des faits qui, au premier abord, paraissent surprenants, voire contradictoires.

RÈGNE DE LA REINE HATCHEPSOUT

Elle est la première reine régnant seule dans l'histoire de
l'humanité. Ce fait, à lui seul, mérite qu'on attache une importance particulière aux circonstances qui ont entouré son acces-
sion au trône. Celle-ci est un des traits particuliers de l'histoire
égyptienne qui intrigue le plus les historiens modernes. Pour
comprendre ces derniers, jetons avec Maspéro, un coup d'œil
sur sa généalogie.

Elle était la seule enfant vivante de la reine Ahmôsis et de
Thoutmosis Ier. Tous deux, frère et sœur, et enfants d'Améno-
thès Ier et de sa sœur Akhotpou II. Quelque temps avant sa mort
Thoutmosis Ier couronna Hatchepsout, sa fille, et la maria à
Thoutmosis II, fils d'une autre de ses femmes ; donc, Hatchepsout et Thoutmosis II sont demi-frère et sœur. Contrairement à
l'opinion répandue parmi les historiens occidentaux, la mère de
Thoutmosis II n'est pas une concubine de Thoutmosis Ier par
rapport à la mère de Hatchepsout. C'est une femme également
légitime sur laquelle la première femme du Pharaon a tout juste
une certaine préséance. On ne peut pas la comparer à une femme acquise par razzia ou un autre moyen et jetée dans un hárem
pour fournir des bâtards à un roi dont les seuls enfants légitimes,
les seuls héritiers seraient les enfants issus de la reine. S'il en

était ainsi le roi ne pourrait jamais donner à son bâtard sa noble héritière en mariage.

Supposons le cas hypothétique où un Pharaon aurait épousé le même jour, au même titre, ses deux sœurs, issues de la même mère et du même père et, par conséquent, ayant le même degré de noblesse. Aucun texte n'interdit ceci au Pharaon. Si ces deux femmes mettent au monde le même jour deux enfants de même sexe, ils ont les mêmes droits au trône. Varions maintenant l'une de ces deux conditions : date de mariage, degré de noblesse des deux femmes. Il en résulte automatiquement des conséquences pour les droits de succession des enfants, mais qui sont loin d'être assimilables à celles qu'imposerait la condition de bâtards. A degré de noblesse égal pour les deux mères, c'est l'enfant de la première femme épousée qui a les droits, s'il est le premier né. Si la seconde femme, tout en étant mariée aussi légitimement que la première, est de sang moins noble, ses enfants ont moins droit au trône, même s'ils sont les aînés. Si, à plus forte raison, elle est d'origine esclave, ses enfants ont encore moins de droits d'héritage, mais n'en sont pas totalement dépourvus et sont des enfants légitimes. Un bâtard, du point de vue africain, est un enfant qu'on a eu avec une femme non épousée devant la coutume, qu'elle soit princesse, d'origine populaire ou esclave. Celui-là ne peut hériter de rien.

Or la reine Hatchepsout, d'après Maspéro, tenait de sa mère, Ahmosis, et de sa grand'mère Akhotpou, des droits de succession supérieurs, non seulement à ceux de son mari et frère, Thoumosis II, mais à ceux de son propre père Thoumosis Ier, pharaon régnant. On voit donc ici le matriarcat opérant : c'est la noblesse plus ou moins grande de la mère qui soutient les droits de succession au trône, à l'exclusion de ceux du père qui, même, dans certains cas, comme celui-ci, peut être remplacé par un père divin. Hatchepsout, soutenue par les prêtres, finira par substituer Ammon à son propre père. On se souvient que, lorsqu'Athéna l'a fait, dans la légende grecque, contrairement à Hatchepsout, c'était pour effacer sa filiation utérine, idée qui n'arrivera jamais en Égypte où règne le matriarcat.

Maspéro affirme qu'aux yeux de la nation égyptienne Hatchepsout était l'héritière légitime des anciennes dynasties. Elle eut une fille de Thoutmosis II ; mais ce dernier eut, d'une de ses femmes nommée Isis, un fils Thoutmosis III élevé pour le sacerdoce dans le Temple d'Ammon Thébain. Malgré son rôle secondaire, Thoutmosis II sut associer Thoutmosis III au trône et le plaça sous la tutelle de Hatchepsout. Celle-ci, jouant le rôle de mère, le maria à sa fille appelée également Hatchepsout

Mariri. Hatchepsout mère n'en continua pas moins à régner tout en tenant ce ménage d'enfants à l'écart du pouvoir. C'est à sa mort que Thoutmosis III, âgé de 20 ans, devint Pharaon.

Soutenue par les prêtres d'Ammon, elle voulut être un Pharaon dans toute l'acception du terme et alla jusqu'à porter la barbe postiche, symbole d'autorité. Cette façon de se faire représenter telle un Pharaon est purement symbolique.

A la mort de Thoutmosis II, son fils, le futur grand conquérant, n'était qu'un enfant et c'est une des raisons pour lesquelles Hatchepsout n'eut aucune peine à exercer sa régence, à la prolonger pendant 22 ans.

En réalité il semble qu'en Égypte c'est la femme qui hérite des droits politiques, mais qu'étant donné son infériorité physique naturelle, c'est son mari qui règne alors qu'elle assure la continuité utérine de la dynastie. Aussi Hatchepsout fit-elle preuve d'une énergie presque masculine en organisant la première expédition sur la Côte des Somalis, au Pays de Pount, d'où elle rapportera, entre autres richesses des essences végétales qu'elle acclimatera en Égypte. Elle développa le commerce et se fit construire le somptueux tombeau de Deir-el-Bahari.

ÉPOQUE PTOLÉMAÏQUE

Elle correspond à la XXVIIIᵉ Dynastie qui est aussi la dernière dynastie étrangère. Après, l'Égypte deviendra une province romaine. Elle compte vingt souverains et dura 275 ans. On ne retiendra de cette période que les règnes qui intéressent le sujet ici traité. Les souverains grecs s'adaptèrent à la tradition et aux mœurs égyptiennes : c'est ainsi que le mariage entre frère et sœur fut pratiqué par eux. C'est le cas de *Ptolémée IV Philopator* qui, après avoir assassiné son père, épouse sa sœur, se lasse d'elle et l'assassine à son tour.

Ptolémée VI monta sur le trône à l'âge de cinq ans, sous la tutelle de sa mère Cléopâtre. A sa mort, son frère *Ptolémée Evergète II* s'empara du trône d'Égypte, épousa sa belle-sœur et assassina son neveu. *Ptolémée VII Soter II* lui succéda : il épousa successivement ses deux sœurs et dut s'enfuir en exil en abandonnant le trône à la suite des intrigues de sa mère Cléopâtre. Il fut remplacé par son frère cadet, *Ptolémée IX*, qui était l'enfant préféré de Cléopâtre. Cependant celle-ci ne tarda pas à chercher à se débarrasser de lui, mais le fils fut plus rapide et fit assassiner sa mère. *Ptolémée X* (ou *Alexandre II*), règnera après quelques difficultés. En effet, après la mort de Soter II — qui avait été rappelé — sa fille Bérénice devint reine. Alexandre II l'épousa pour devenir roi et la fit assassiner ensuite. Le peuple égyptien ne lui pardonnera jamais ce crime. Il mourut en exil à Tyr, après avoir pris le soin de léguer, par testament, le Royaume d'Égypte aux Romains. Puis arrive le règne d'*Aulète* qui fut chassé et remplacé sur le trône par ses deux filles, Cléopâtre et Bérénice. A la mort de Cléopâtre, les Romains remirent Aulète sur le trône : il en profita pour assassiner sa fille Bérénice et tous ses partisans.

Le fils aîné d'Aulète et sa sœur Cléopâtre — celle qui restera célèbre dans l'histoire — montèrent sur le trône, après la mort de leur père. Elle épousa successivement ses deux frères, morts l'un après l'autre. Chassée par les Égyptiens, elle se retira un moment en Syrie, mais fut ramenée par les troupes victorieuses de Jules César, dont elle eut un fils, *Ptolémée Césarion*. Elle séduit Antoine à Tarse en Cilicie et celui-ci la proclame « Reine des Rois » et son fils Césarion « Roi des Reines ». Après la défaite d'Antoine par Octave, Cléopâtre se cache dans un tombeau et fait répandre le bruit de sa mort afin de se débarrasser d'Antoine. Celui-ci ne manqua pas de se suicider, mais durant son agonie il eut la douloureuse surprise de savoir Cléopâtre vivante. La reine comptait sur ses charmes pour envoûter Octave ; celui-ci résista, elle se sentit perdue, car elle avait intrigué contre Rome et elle mit fin à ses jours en se faisant piquer par un aspic. L'Égypte tomba sous la domination romaine (1).

Malgré ce matriarcat adoptif imposé aux souverains étrangers grecs par la tradition de la royauté égyptienne, la violence et les intrigues continuent à régler le véritable sort des princes et des princesses. L'histoire égyptienne de l'époque ptolémaïque présente plus d'un trait de parenté avec celle de Byzance. Les reines de l'époque héllénistique sont toutes issues de la même veine, elles font davantage figure de courtisanes et d'intrigantes que de reines authentiques accréditées par la tradition. Ce sont des Aryennes qui s'adaptent aux coutumes méridionales et leur cas ne peut être confondu avec celui de reines relevant d'une coutume matriarcale véritable. En effet, abstraction faite de Byzance que l'on a déjà considéré comme un complexe oriental à part, c'est en vain qu'on chercherait à Rome, moins touchée par l'influence méridionale, une reine gouvernant seule, même à cette basse époque.

_____

(1) E. Amelineau : Résumé de l'Histoire de l'Égypte (Paris, 1894), pp. 170 à 176.

La légende des Amazones relatée ici a été recueillie et transmise par Diodore de Sicile. Il est indispensable d'en exposer le résumé avant d'entrer dans l'étude détaillée de la notion d'amazonisme.

Selon Diodore, les Amazones dites d'Afrique habitaient jadis la Libye. Elles ont disparu plusieurs générations avant la Guerre de Troie, alors que celles de Thermodon, en Asie Mineure, florissaient encore. Il y eut, en Libye, plusieurs races de femmes guerrières, dont les *Gorgones* contre lesquelles Persée a combattu. A l'ouest de la Libye, aux confins de la terre, habite un peuple gouverné par des femmes. Celles-ci restent vierges pendant le service militaire, puis approchent des hommes et remplissent les magistratures et toutes les fonctions publiques. Les hommes sont tenus à l'écart de ces fonctions et de l'armée. Après l'accouchement des femmes, ils servent de nourrices. Ils sont estropiés à la naissance pour être inaptes à porter les armes. Les femmes subissent une ablation du sein droit pour mieux tirer à l'arc. Elles habitent une île appelée Hespéra et situé à l'Occident, dans le Lac Tritonis ; ce lac tire son nom du fleuve Triton qui s'y jette. Il se trouve près de l'Atlas. Les Amazones soumirent toutes les villes de l'Ile sauf Méné, considérée comme sacrée et qu'habitaient des Éthiopiens Ichtyophages. Elles subjuguèrent ensuite, dans les environs, les tribus libyennes nomades et bâtirent dans le Lac Tritonis la ville de Chersonèse (= presqu'île). Elles vainquirent les Atlantes. *Myrina*, reine des Amazones, disposait d'une cavalerie de 2.000 femmes rompues à l'exercice du cheval. A la fin de ses conquêtes sur les *Atlantes* et même les Gorgones, elle fit incinérer les corps de ses compagnes. Enfin, les Amazones et les Gorgones furent exterminées par Hercule lors d'une expédition dans l'Occident : d'où les Colonnes d'Hercule.

Pendant son règne, Myrina entra en Égypte, se lia d'amitié avec Horus fils d'Isis, qui était alors roi du pays. De là elle alla faire la guerre aux Arabes et en extermina un très grand nombre. Ensuite, elle subjugua la Syrie, la Cilicie, la Phrygie et s'arrêta au fleuve Caïcus. Elle fonda Cyme, Pitane, Priène, et se battit contre les habitants de la Thrace (1).

Malgré la thèse communément admise, il est aisé de consta-

---

(1) *Diodore de Sicile* : Histoire universelle, Livre III, par. 52 à 55, traduction Hoefer, Éd. Adolphe de la Trays, Paris, 1851.

ter que la société ainsi décrite n'a rien de matriarcal ; elle reflète plutôt, bien qu'il s'agisse d'une légende, la vengeance impitoyable et systématique d'un sexe sur un autre. Pour rester dans la logique de cette tradition, on est obligé de supposer une période antérieure où les hommes d'une certaine région avaient coutume de considérer tous les ressortissants féminins de leur communauté, comme des esclaves auxquelles on pouvait infliger n'importe quel traitement. Ces dernières, à la suite d'une révolte victorieuse, prirent leur revanche en pratiquant une technique consommée d'avilissement de l'homme. Physiquement, ce dernier était estropié dès la naissance de manière à être inapte au service militaire ; son éducation était conçue de façon à ne lui inculquer que des sentiments bas, à l'exclusion de toute notion qui puisse relever le courage ou l'honneur. Il eût été éliminé, purement et simplement, si l'on n'avait pas besoin de lui pour la procréation. La notion de mariage ou de ménage, ou de toutes sortes de vie en commun est impensable.

Le matriarcat n'est pas le triomphe absolu et cynique de la femme sur l'homme ; c'est un dualisme harmonieux, une association acceptée par les deux sexes pour mieux bâtir une société sédentaire où chacun s'épanouit pleinement en se livrant à l'activité qui est la plus conforme à sa nature physiologique. Un régime matriarcal, loin d'être imposé à l'homme par des circonstances indépendantes de sa volonté, est accepté et défendu par lui.

L'Amazonisme, loin d'être une variante de matriarcat, apparait comme la conséquence logique des excès d'un régime patriarcal outrancier. Tout, chez les Amazones, habitudes, faits relevés, lieu d'habitat, incline à interpréter leur régime dans le sens qui vient d'être indiqué.

Si on y regarde de près, on s'aperçoit que les Amazones — qu'il s'agisse de celles de l'Afrique ou de l'Asie Mineure — habitent exclusivement chez les populations aryennes, nomades, pratiquant le régime patriarcal le plus outrancier.

La localisation des Gorgones et des autres Amazones de Myrina en Afrique a trompé beaucoup d'esprits. Mais si on fait attention au détail du site, on constate qu'il s'agit essentiellement de la Cyrénaïque (Lac Tritonis) habitée par les Libyens blancs nomades, appelés Peuples de la Mer et dont les premiers contingents étaient déjà en place depuis — 1500.

On se souvient que la Cyrénaïque est le lieu de naissance d'Athéna et de Poséidon, deux divinités adoptées par les Grecs, mais qu'ils considérèrent toujours comme d'origine libyenne. Poséidon était bien le dieu d'un peuple venu de la mer, comme l'étaient les Libyens. C'est sur cette presqu'île de la Cyrénaïque que se trouve une ville appelée Hespéris. Enfin la distance des côtes du Péloponnèse à la Cyrénaïque est plus courte que celle qui sépare cette région du Delta du Nil.

On a l'habitude de soutenir que les Égyptiens en particulier et l'Afrique en général, ne connaissaient pas le cheval qui est originaire des steppes eurasiatiques avant l'invasion des Hyksos. La domestication de cet animal semble donc primitivement être l'apanage des Aryens. Or, le cheval est la monture par excellence des Amazones.

Celles-ci pratiquent également l'incinération si caractéristique du berceau nordique.

Elles combattent tous les Aryens nomades et épargnent la ville des Éthiopiens considérée comme sacrée, dont le nom même évoque celui de Menès, premier roi d'Égypte. Leur reine se lie d'amitié avec Horus, un roi sédentaire. Par contre, elle fera une expédition chez les Arabes nomades. La tradition semble donc bien cohérente, aussi surprenant que cela puisse paraître. L'analyse qu'on en tire conduit à penser que les Amazones sont bien issues d'un berceau eurasiatique où régnait un régime patriarcal féroce. C'est la raison pour laquelle elles se sont révoltées et qu'à la suite de leur triomphe, elles combattront partout les tenants de ce régime et épargneront, ou même se lieront d'amitié, avec les représentants de celui où les ressortissants de leur sexe se sont toujours épanouis librement.

Il est faux de supposer qu'il existe des Amazones un peu partout dans le monde. C'est par une assimilation abusive qu'on a étendu cette appellation à des *femmes d'Amérique du Sud*, sous prétexte qu'elles se battaient aussi bien que les hommes, alors qu'elles ne présentent aucune des autres caractéristiques afférentes à l'amazonisme, en particulier le mépris des hommes, etc...

C'est à partir d'une erreur semblable qu'on parle également des *Amazones du Dahomey*. Un roi du Dahomey, *Ghézo* (1818-1858), luttant contre les Yoruba, suzerains de son pays, utilisa toutes les ressources nationales dont il disposa pour vaincre. C'est ainsi que pour s'affranchir de la tutelle du Bénin, il dut créer des compagnies féminines de cavalerie qui combattirent avec une telle énergie que les historiens modernes les ont assimilées à des Amazones. Le fait que ces compagnies aient été créées et dirigées par des hommes prouve que la situation de ces femmes fut radicalement différente de celle des Amazones classiques qui ne pouvaient songer à combattre sous les ordres masculins. Il ne s'agit pas ici d'une organisation féminine autonome au sein d'une société masculine dont l'autorité serait ignorée. Elles ne sont pas plus Amazones que les membres des Corps auxiliaires féminins des armées européennes modernes. Tous leurs attributs leur viennent de l'homme, qui a conçu leur formation, donc elles n'ont rien d'intrinsèque et de comparable à l'autodétermination des Amazones. La haine de l'homme leur est étrangère, elles ont la conscience de « soldates » luttant uniquement pour la libération de leur pays.

LE MATRIARCAT PEUL

La sociologie de la communauté peule est, sans aucun doute, du plus grand intérêt pour les sciences humaines. Rares sont les peuples dont l'étude a fait couler tant d'encre. L'ensemble des contradictions apparentes qu'on rencontre chez eux a souvent découragé, ou dérouté les chercheurs. Et l'on est aujourd'hui en présence des hypothèses les plus extravagantes à leur sujet. On conçoit donc l'intérêt que présente une documentation inédite sur leur société.

La première difficulté à surmonter est d'arriver à expliquer, à partir des hypothèses qui sont à la base de cette étude, comment les Nomades Peuls peuvent pratiquer le matriarcat. L'inverse paraîtrait logique. La réponse est liée à la connaissance des origines de ce peuple. D'où viennent-ils ?

Sur la base de deux faits importants on peut affirmer, presqu'avec certitude, que les Peuls sont originaires d'Égypte et que certains d'entre eux appartiennent même à la branche royale des anciennes dynasties pharaoniques. En effet, ce sont les notions ontologiques du *BA* et du *KA* que l'on retrouve comme étant les noms totémiques essentiels des Peuls. Or, le nom totémique est essentiellement un indice ethnique en Afrique Noire. BA-RA, BA-RI, KA-RA, KA-RÉ, tous ces noms peuls sont composés, visiblement, de racines égyptiennes, puisées dans la théogonie la plus authentique et la plus secrète. On sait que, jusqu'à la révolution prolétarienne qui se produisit à la fin de l'Ancien Empire, le Pharaon, seul, possédait un KA immortel et jouissait de la mort osirienne.

Quelle que soit l'essence véritable du BA et du KA chez les anciens Égyptiens, le fait qu'on les retrouve, sous forme de noms totémiques, sans aucun doute possible, chez les Peuls, semble appuyer la thèse de Moret qui voulait démontrer le totémisme égyptien, à partir de l'analyse de ces notions (1).

_____

(1) Moret : Des clans aux empires.

Par ailleurs, Moret écrira sur le BA et le KA :

« *Le Ka qui vient s'unir au zet est un être divin qui vit au ciel et ne se manifeste qu'après la mort....*

Dans les textes de l'Ancien Empire, pour dire mourir, on emploie l'expression « passer à son Ka ». D'autres textes précisent qu'il existe au ciel, un Ka essentiel... ce Ka... préside aux forces intellectuelles et morales ; c'est lui qui, tout à la fois, renseigne la chair, embellit le nom, et donne la vie physique et spirituelle.

....

« *Les deux éléments une fois réunis, Ka et Zet forment l'être complet qui réalise la perfection. Cet être possède des propriétés nouvelles qui font de lui un habitant du ciel, qu'on appelle BA (Ame ?) et AKH (esprit ?). L'âme BA, figurée par l'oiseau BA, muni d'une tête humaine, vit au ciel... Dès que le roi est réuni à son KA, il est devenu BA* » (1).

Peu importe si l'interprétation de Moret est juste ou non. Elle permet de souligner l'importance de ces concepts dans la pensée égyptienne.

Ce n'est donc pas par hasard si le nom KA est le plus noble et le plus authentique des noms peuls.

On a souvent supposé que les Peuls étaient à l'origine des Blancs qui se seraient nigrifiés progressivement par voie de métissage. L'analyse de la langue peule, sa parenté grammaticale profonde avec les autres langues du groupe africain (valaf, sérère, égyptien ancien...) incline à supposer le contraire (2). En effet, si la France actuelle devait se négrifier par l'invasion progressive d'un élément extérieur, même à l'issue de cette transformation, le support de la culture, c'est-à-dire la langue, resterait français, au cas où la société elle-même n'aurait pas été bouleversée. Les nouveaux métis continueraient à parler français. Si les Peuls étaient un élément conquérant, d'un niveau culturel supérieur, propagateurs d'une civilisation, venus d'on ne sait où, même en se métissant dans de telles conditions de supériorité c'est leur culture qui devrait être transmise, c'est leur langue qui devrait être imposée aux aborigènes de l'Afrique, au lieu que l'inverse se produise.

On est donc obligé de supposer qu'ils étaient à l'origine d'authentiques africains, progressivement métissés avec un élément

----

(1) A. Moret : L'Égypte et la Civilisation du Nil, p. 212.
(2) cf. Appendice.

extérieur. Cette hypothèse seule rend intelligible les faits cons-
tatés, en permettant d'expliquer pourquoi, malgré leur métissage
évident, les Peuls parlent une langue nègre, qu'on ne peut rattacher à aucun groupe sémitique ou indo-européen ; et que le matriarcat soit à la base de leur organisation sociale, malgré leur
nomadisme. Du reste ils ont tous ces traits culturels en commun
avec les autres peuples plus ou moins métissés de l'Afrique Noire :
Yorouba, Sarakollé, etc...

Dans la mesure où les Peuls sont d'origine égyptienne, ils
ont été des Africains sédentaires, agriculteurs et pratiquant le
matriarcat. A la suite de la dislocation de la société égyptienne
ancienne — disparition de la souveraineté — ils ont dû émigrer
assez tardivement, avec leurs troupeaux de bœufs. Par la force
des circonstances, ils seraient donc ainsi passés de la vie sédentaire à la vie nomade. Mais on comprend alors que le matriarcat
de la première époque continue à régler les rapports sociaux ;
d'autant plus qu'il est sans doute abusif de parler d'un nomadisme absolu du Peul. En réalité, il est semi-nomade : l'Afrique
Noire est constellée de villages peuls habités à toute époque de
l'année. Seule la fraction jeune de la collectivité marche derrière les troupeaux, traverse des provinces entières en quête de
prairie, pour redescendre au point de départ avec la fin de la
saison.

On pourrait objecter que les noms cités ne sont pas les seuls
que portent les Peuls. Certes, oui ; mais ce sont les plus authentiques car les Peuls ne les partagent avec aucun autre peuple
de l'Afrique, tandis que leurs autres noms peuvent être portés
par des ressortissants de groupements ethniques différents. Ainsi
Diallo est à la fois un nom peul et Toucouleur, *Sow* est à la fois
un nom peul et laobé, etc...

Cette explication permet de comprendre à la fois le matriarcat du Peul, son nomadisme, son totémisme, ses origines ethniques et celles de sa langue. Le matriarcat de ce peuple semi-nomade cesse de constituer une objection valable à la thèse ici
soutenue.

PATRIARCAT AFRICAIN

On constate que la tendance actuelle de l'évolution interne de
la famille africaine s'oriente vers un patriarcat plus ou moins
atténué par les origines matriarcales de la société. On ne saurait exagérer le rôle joué dans cette transformation par des
facteurs extérieurs, tels que les religions, Islam et Christianisme,
et la présence temporelle de l'Europe en Afrique.

L'Africain islamisé est automatiquement régi, du moins en ce qui concerne l'héritage des biens, par le régime patriarcal. Il en est de même chez le Chrétien, qu'il soit protestant ou catholique. Mais de plus, la législation coloniale tend à donner partout un statut officiel à ces options privées ainsi que l'atteste un jugement rendu à Diourbel en 1936, sous l'Administrateur Champion, concernant l'héritage des terres du village de Thïatou, près de Gaouane : le différend fut tranché à la faveur du parti de Magatte Diop qui faisait valoir l'héritage patrilinéaire conforme au droit français, au détriment de la nièce de son père Gagne-Siri-Fall, sœur de Diéri Fall, qui invoquait la filiation matrilinéaire, valable essentiellement, soutenait-elle, pour les *garmis*, c'est-à-dire, les familles dynastiques et la noblesse.

Enfin les liens ancestraux se distendant par la force des exigences de la vie moderne qui disloque les structures anciennes, l'Africain se sent de plus en plus, aussi proche de son fils que de son neveu utérin. Mais chez certains peuples qui ne sont pas encore en contact intellectuel et moral réel avec l'Occident, comme les Sérères, l'héritage matrilinéaire prévaut encore. Le fils n'a rien, le neveu hérite de tout.

C'est aussi à ces trois facteurs qu'il convient d'imputer le changement de nom des enfants qui cessent de porter celui de leur oncle maternel, c'est-à-dire celui de la mère pour prendre celui du père. On a déjà vu qu'en 1253 lorsque Ibn Batouta visita le Mali, cette opération importante ne s'était pas encore effectuée dans la famille africaine.

Polygamie

Comme différents penseurs, Engels entre autres, l'ont déjà souligné, elle n'est spécifique à aucun peuple ; elle a été et elle continue d'être pratiquée par les hautes classes sociales de tous les pays, peut-être pas à des degrés différents mais sous des formes différentes. Elle était en usage dans l'aristocratie germanique du temps de Tacite, en Grèce à l'époque d'Agamemnon, dans toute l'Asie, en Égypte dans la famille pharaonique et celle des dignitaires de la Cour. Dans tous ces pays, sans atteinte à la morale, on pouvait s'offrir ce luxe si on en avait les moyens ; mais la monogamie était de règle au niveau du peuple, en particulier en Afrique. Dans la mesure où l'Afrique est considérée comme la terre de la polygamie, il est important de souligner ce fait. Sur les représentations sculpturales et picturales de l'ancienne Égypte, la monogamie populaire est attestée par les nombreux couples figurés.

Il semble qu'il en fut ainsi dans toute l'Afrique du haut Moyen Age, jusqu'au Xe siècle, qui marque l'extension de l'Islam aux populations autochtones, par les Almoravides. La polygamie tendra alors à se généraliser sans jamais cesser d'être l'indice d'un rang social. Aussi n'est-il pas rare de voir des ressortissants de la masse qui, cherchant à s'illusionner sur leur propre rang social, épousent plusieurs femmes.

C'est à ce paragraphe sur la polygamie qu'il convient de rattacher l'étude de ce qu'on a appelé le mauvais traitement de la femme africaine. Une fois de plus c'est la conception matriarcale qui éclairera les faits d'une façon intelligible. Elle implique, en effet, une dualité relativement rigide dans l'activité quotidienne de chaque sexe. La division de travail socialement admise réserve à l'homme les tâches de risques, de puissance, de force et d'endurance ; si, par suite d'un changement de situation dû à l'intervention d'un facteur extérieur quelconque — cessation de l'état de guerre, etc. — les tâches de l'homme venaient à s'amenuiser, tant pis pour la femme : elle n'en continuera pas moins à assurer tous les travaux ménagers et autres que la société lui réserve. Car l'homme ne saurait l'y relayer sans déchoir aux yeux de tous. Il est impensable, en effet, que par exemple, un Africain partage une besogne féminine avec sa femme, telle que faire la cuisine ou laver le linge, ou faire la puériculture, abstraction faite de toute influence européenne, évidemment. La diminution des tâches de l'homme provient de la suppression des souverainetés nationales qui engendre la disparition d'une fraction importante des tâches de responsabilité. Elle peut être saisonnière aussi, en fonction des cultures et des récoltes ; dans les pays tropicaux, à deux saisons, pendant la longue période de sécheresse, le chômage involontaire est fréquent chez les hommes que la faible activité économique du pays ne permet pas d'occuper. Aux champs, c'est le mari qui creuse la terre et c'est la femme qui sème. A la récolte, c'est le mari qui déracine, les arachides par exemple, et c'est la femme qui ramasse. En réalité, les préoccupations champêtres sont loin d'être aussi rigides et il n'est pas rare de voir la femme accomplir certaines tâches qui ne sont pas très pénibles, comme la culture du sol. Mais on peut affirmer, à coup sûr, que la fraction qui revient à l'homme dans ce travail est nettement supérieure à celle qui revient à sa femme. Le plus souvent elle prépare les aliments et les apporte au champ pendant que celui-ci travaille. Les voyageurs européens qui traversent l'Afrique comme un météore rapportent souvent des descriptions saisissantes en s'apitoyant sur le sort de ces pauvres femmes que leurs maris font travailler pendant qu'ils restent à l'ombre. Par contre les Européennes qui ont visité l'Afrique et y ont séjourné plus ou moins longtemps, ne plaignent pas les Africaines : elles les trouvent heureuses.

Du reste cette situation n'a pas changé depuis l'antiquité ; les couples qu'on voit sur les monuments africains de l'Égypte sont unis par une tendresse, une amitié, une vie intime commune, absolument introuvable dans le monde eurasiatique de l'époque : Grèce, Rome, Asie... Ce fait, à lui seul, tendrait à prouver que l'Égypte ancienne n'est pas sémitique : dans la tradition sémite l'histoire de la terre commence par la chute de l'homme, sa perte causée par la femme (mythe d'Adam et Eve). Dans l'Égypte ancienne et le reste de l'Afrique Noire, à toutes les époques — abstraction faite de quelque influence arabe — la séquestration de femmes surveillées par les eunuques, cette pratique si typiquement eurasiatique, est absolument inconnue.

EURASIE   L'étendue du domaine considéré et la multiplicité des faits à envisager, oblige à ne retenir que les plus saillants d'entre eux.

MATRIARCAT NEOLITHIQUE

Au VIe millénaire, après la fonte des glaces, avec l'adoucissement du climat, les hommes se groupèrent en villages fortifiés ou en cités lacustres. On ne sait pas si ce sont les Magdaléniens qui sont sortis des cavernes ou s'il s'agit d'une race nouvelle originaire de l'Asie. Quoi qu'il en soit, les hommes de cette époque pratiquaient déjà l'élevage et une agriculture embryonnaire. On signale parmi les animaux domestiqués, le bœuf, le mouton le porc, le cheval et le chien. Et, parmi les céréales cultivées, le blé surtout ; la culture du lin fournissait les fibres à tisser (vêtements). Les hommes de cette époque étaient donc des agriculteurs semi-nomades et les spécialistes de la Préhistoire leur attribuent la pratique du matriarcat. C'est le cas de Menghin et Kern cités par Turel.

« *Cette agriculture archaïque est caractérisée par le défrichement au moyen de la bêche, par le perfectionnement de la hache, par la massue, le bouclier de bois, le matriarcat, les mythes lunaires... Le rôle prédominant de la femme dans le labeur du bêchage a été la cause du matriarcat, qui désigne la concentration de la vie humaine autour des sources de sa nourriture. La femme, en possession des cultures, acquiert la prédominance sociale. La succession procède de mère en fille et le mâle entre dans la famille de sa femme......*

Les cultivateurs primitifs ne sont pas aussi épris de parures que les clans totémistes. Ils paraissent avoir eu moins d'imagination, leurs conceptions sont plus étroites. En revanche ils étaient en proie à des accès de terreur religieuse. »

En réalité, on ne possède pas de documents explicites relatifs à l'organisation de la famille humaine il y a 8.000 ans. Les conclusions ci-dessus n'ont pu être dégagées qu'en étudiant les sociétés actuelles qui sont au stade néolithique et en extrapolant les résultats trouvés aux époques archaïques. Tout au plus a-t-on dégagé, avec plus ou moins de certitude, l'existence à cette époque reculée d'un culte de la fécondité grâce à la découverte de statuettes stéatopyges (Vénus de Willendorf et autres) dont l'aire de dispersion s'étend de l'Europe Occidentale à l'Asie jusqu'au Lac Baïkal et au Japon. Il est assez probable que « *le rôle prédominant de la femme dans le labeur du bêchage* » soit exagéré. De tous temps il semble naturel que les travaux les plus durs soient accomplis par les hommes, sous quelque latitude que ce soit. Ce ne sont certainement pas les femmes qui fabriquaient les instruments aratoires tels que les bêches, etc... Ce ne sont pas elles, non plus, qui ont dû défricher les premiers terrains vierges. L'homme devait cumuler ce travail avec celui de la pêche et de la chasse, comme c'est le cas jusqu'à nos jours dans beaucoup de sociétés primitives. L'apparition du matriarcat est lié au fait que, dans une vie véritablement sédentaire, la femme, au lieu d'être presque un poids mort de la société, peut apporter une contribution économique appréciable, sans commune mesure avec celle que permet une vie nomade ; et l'on découvre, tout de suite, que dans un tel régime, elle est plus propre que l'homme à transmettre les droits d'héritage. En effet, même dans une vie sédentaire, l'homme est relativement plus mobile, a moins d'attaches que la femme dont la mission sociale semble être de rester au foyer. Le garçon d'une famille africaine, par exemple, est comparable à un oiseau sur une branche : il peut s'envoler à tout moment, c'est un émigrant potentiel qui, même, dans certains cas, ne retourne pas au foyer. Celui-ci ne doit donc sa pérennité qu'aux filles qui lui sont attachées : d'où la

(1) Turel, op. cit., p. 20.

transmission matrilinéaire des intérêts familiaux. Si l'homme devait les transmettre, on voit qu'ils seraient vite compromis, perdus à l'extérieur. Ces idées sont très familières aux Africains qui connaissent bien leur société.

A l'époque des cités lacustres, si on en juge par l'importance des systèmes de défense érigés pour se protéger contre la nature extérieure, ennemie numéro un, la précarité de la vie devait restreindre le rôle que pouvait jouer la femme dans la société : celle-ci devait être pétrifiée non seulement dans une terreur religieuse, mais matérielle constamment nourrie par la lutte pour la vie, contre les animaux, les forces de la nature et les voisins. Quelques indices amènent certains auteurs à expliquer la présence des statuettes stéatopyges par la venue et l'installation en Eurasie du Sud de populations méridionales, peut-être africaines, à l'époque aurignacienne.

Tel est le cas de Dumoulin de Laplante :

« C'est alors qu'une migration de négroïdes du type hottentot aurait, partant d'Afrique Australe et Centrale, submergé l'Afrique du Nord, Algérie, Tunisie, Egypte et apporté, par la force, à l'Europe méditerranéenne, une nouvelle civilisation : l'Aurignacien. Ces Bochimans sont les premiers à graver sur les rochers de grossiers dessins et à tailler ces figurines de calcaire représentant d'adipeuses, de monstrueuses femmes enceintes. Est-ce à ces Africains que le bassin intérieur de la Méditerranée dut le culte de la fécondité et de la Déesse-Mère ? » (1).

L'opinion de Furon, tout en étant plus nuancée, n'en est pas moins une sorte de confirmation :

« Pendant ce temps, en Afrique et en Orient qui ignorent Solutréen et Magdalénien, les Aurignaciens négroïdes se prolongent directement en une civilisation dite Capsienne dont le centre apparaît être la Tunisie. De là, elle aurait gagné, d'un côté, l'Afrique du Nord, l'Espagne, la Sicile et l'Italie du Sud, disputant ainsi le Bassin de la Méditerranée aux Caucasiens et Mongoloïdes ; d'autre côté, la Libye, l'Egypte et la Palestine. Elle aurait, enfin, soumis partiellement à son influence le Sahara, le Soudan, l'Afrique Centrale, et jusqu'à l'Afrique du Sud (2). »

_____

(1) Dumoulin de Laplante : Histoire générale synchronique Paris, 1947, p. 13.
(2) Furon : Manuel d'archéologie préhistorique, Paris, Éd. Payot, 1943, pp. 14-15.

A propos des statuettes stéatopyges dont il vient d'être question, Furon écrit :

« *Toutes ces statuettes ayant un « air de famille » il faut bien admettre l'idée du culte de la fécondité, car il serait incroyable que la France, l'Italie, et la Sibérie, aient été peuplées par des gens de même race, négroïdes, dont toutes les femmes étaient stéatopyges* » (1).

La présence d'un élément méridional négroïde en Europe du Sud à l'époque Aurignacienne est attestée par la présence de l'homme de Grimaldi.

MATRIARCAT GERMANIQUE

Comme le matriarcat néolithique nordique, si le matriarcat germanique était prouvé, il tendrait à attester l'universalité du phénomène. Mais, dans l'un comme dans l'autre cas, la minceur des documents invoqués est du même ordre.

Rien n'est plus douteux que ce matriarcat germanique. Bémont et Monod, en s'appuyant sur les travaux de César et de Tacite, affirment que :

« *Les Germains ne connaissaient pas la dot ; mais la femme faisait des présents à son mari ....*
Le simple homme libre devait se contenter d'une seule femme ; la polygamie n'était permise qu'aux nobles. Dans certaines tribus la veuve ne pouvait se remarier ; « la femme prend un seul époux comme elle a un seul corps, une seule vie, afin qu'elle aime son mariage et non pas son mari » (Tacite). Le père de famille avait des droits étendus sur sa femme, qu'il pouvait chasser si elle était infidèle, qu'il pouvait même vendre en cas de nécessité, sur ses enfants qu'il pouvait exposer, sur ses affranchis et sur ses esclaves ; mais cette autorité cessait pour le fils majeur et pour la fille mariée ; devenu trop vieux le père ne comptait plus comme membre actif, c'est le fils qui le remplaçait. Les Germains ne connaissaient pas les testaments : les plus proches parents par le sang héritaient de plein droit ; les femmes étaient exclues de l'hérédité de la terre. Les garçons étaient égaux entre eux ; on ne trouve aucune trace certaine du droit d'ainesse » (2).

---

(1) Id., id., p. 151.
(2) Ch. Bemont et G. Monod : Histoire de l'Europe au Moyen-Age (Éd. F. Alcvan, Paris, 1921), pp. 21 et 22 (Tome I).

Il est difficile de considérer comme matriarcal un régime où, malgré tout, la femme fait des présents au mari tandis que celui-ci peut la vendre en cas de nécessité et exposer ses enfants, où elle est exclue de l'hérédité de la terre, où le fils hérite du père et non le neveu de l'oncle, où les plus proches parents par le sang héritent à l'exclusion de ceux de filiation utérine. Puisque la fille mariée échappe à l'autorité du père et peut être vendue par le mari, c'est qu'elle ne fait plus partie de sa famille naturelle contrairement à ce qui se passerait dans un régime matriarcal. On est donc en présence d'un régime patriarcal avec ses exigences les plus atroces, telles que l'exposition des enfants : c'est dans un tel régime seulement que le père peut exposer ses enfants quand il ne peut plus les nourrir, car dans un régime matriarcal, ses propres enfants ne lui appartiennent pas. Dans ce dernier cas, c'est l'oncle qui a le droit de vendre son neveu et celui-ci hérite de lui : d'où les expressions valaf, déjà citées.

L'exposition des enfants et l'enterrement des filles en bas âge considérées comme bouches inutiles étaient des pratiques courantes dans tout le monde eurasiatique patriarcal où cela apparaissait souvent comme une dure nécessité. Les habitudes ancestrales aidant, même après la sédentarisation, cette pratique restera coutumière chez les Grecs, presque stupéfaits de voir les Égyptiens élever tous leurs enfants, sans distinction de sexe, au lieu d'en exposer une fraction appréciable dès la naissance, dans les ordures matérielles :

« *Mais le désir de postérité mâle une fois satisfait, on ne sacrifiait pas pour autant les naissances ultérieures. Les Grecs ont relevé, presque avec stupéfaction, qu'on acceptait en Egypte d' « élever » tous les enfants : entendons qu'on n'y pratiquait pas, comme en Grèce, l '« exposition », c'est-à-dire l'abandon des nouveaux-nés vagissants parmi les déchets de la vie matérielle* » (1).

Le seul fait qui subsiste en faveur d'un matriarcat, après un examen approfondi de la société germanique, est donc l'importance accordée au neveu, surtout en matière d'otage où on le préfère au fils. Or, cela pourrait bien être une pratique introduite par les Phéniciens dans le cadre des contrats commerciaux qu'ils passaient avec les Germains.

---

(1) A. Aymard et J. Auboyer : L'Orient et la Grèce antique, op. cit., p. 49.
(2) Thot égyptien fait penser à Teuton ; et Teutatés : Dieux germains et gaulois.

On n'a pu parler de Matriarcat irlandais qu'en assimilant à cette coutume des pratiques qui lui sont étrangères :

Ainsi Hubert cite Strabon qui semblait s'appuyer sur Pythéas pour affirmer que les Irlandais ne connaissaient ni mère ni sœur.

D'après César, les Celtes de Grande-Bretagne ont une femme pour un groupe de dix à douze hommes composé indistinctement de frères, pères, et fils. Celui qui a amené la femme à la maison est le père nominal des enfants qui naissent. On est en présence d'un cas de polyandrie qu'il ne faut pas confondre avec le mariage par groupe.

La polyandrie est l'apanage exclusif des Indo-Aryens à l'exclusion des Sémites. Elle consiste à forcer une femme contre son gré à assurer la descendance d'un groupe de frères ou autres. On l'a vue fleurir à Athènes comme ici en pays anglo-saxon.

Il semble, aussi extraordinaire que cela puisse paraître, que les Arabes aient contribué énormément à l'éducation galante de l'homme occidental du Moyen-Age. On leur doit la naissance de la vie de Cour.

Hubert explique la polyandrie celtique par l'infériorité économique de la femme dans le système social : les hommes ayant matériellement intérêt à introduire le moins de femmes possible dans le groupe. Il fait remarquer que les Gauloises faisaient leur service militaire comme les hommes qu'elles accompagnaient au combat.

Il en fut de même des Irlandaises corrélativement à leur droit à la propriété foncière. Elles n'en furent exemptées que progressivement par l'Église Chrétienne. Elles ont d'abord commencé par racheter le service militaire en abandonnant la moitié de la propriété à la famille.

« *La famille normale des Celtes, en dépit de ces faits exceptionnels et de ces reliques du passé, est une famille presque purement agnatique. Les femmes y sont l'instrument d'une parenté naturelle, mais non de la parenté civile. Le fils de la fille ne fait pas partie de la lignée de son grand-père sauf dans un cas : celui où un homme qui n'a pas d'héritier mâle marie sa fille en se réservant l'enfant à naître, qui devient juridiquement non plus son petit-fils, mais son fils. Cette famille est groupée autour d'un foyer qui a été le centre de son culte et n'a pas cessé de tenir une place centrale dans la représentation de son essence et de son unité »* (1).

La *patria potestas* (puissance paternelle) du chef de famille gaulois est identique à celle du Romain. Il avait droit de vie et de mort sur ses enfants d'après César.

Cette autorité ne prend fin qu'avec la mort du père chez les Irlandais, et à 14 ans (âge du service militaire) chez les Gaulois ; le jeune homme entre alors ensuite dans la clientèle d'un chef. Toujours d'après César cité par Hubert, le mari avait le même droit de vie et de mort sur sa femme.

La polygamie était coutumière.

« Les concubines, en irlandais ben urnadma, *s'achetaient aux grandes foires de l'année pour un an »* (1).

La condition de la mère n'influait pas sur celle des enfants.

La transmission d'un bien indivis comme la Royauté ne s'effectuait pas de père en fils. On choisissait parmi les agnats vivants le plus ayant droit, un frère cadet ou un cousin par exemple.

Comme dans toutes les sociétés Indo-Aryennes la société celtique avait sa plèbe composée des « déclassés » (ayant perdu aux jeux d'hiver surtout) des désencadrés expulsés des familles pour échapper à une dette de sang ou d'argent etc... Ces « sans feu ni lieu » étaient très nombreux en Gaule d'après César.

L'existence de cette immense classe de hors la loi (Outlaws) amène H. Hubert à écrire :

« Le monde celtique trouvait dans ses institutions des raisons internes d'évolution qui l'amenaient, après avoir constitué des aristocraties, à créer des plèbes qui tendent à devenir des démocraties » (2).

On retrouve également les mêmes mœurs sanguinaires telle la « chasse aux crânes » qui était une institution culturelle commune aux Gaulois et aux Irlandais.

L'auteur citant Posidonius montre que les cavaliers suspendaient les crânes embaumés des ennemis tués aux croupes de leurs chevaux. Ils se vantaient des fortes sommes offertes par les familles des défunts pour récupérer ces trophées de chasse.

On les a retrouvés comme effigies sur les monnaies Gauloises.

La société celtique est donc nettement patrilinéaire et pourvue de tous les autres traits culturels afférents à cette coutume.

---

(1) H. Hubert, op. cité, p. 248.
(2) H. Hubert, op. cit., p. 239.

La filiation matrilinaire y traduit toujours une anomalie toutes les fois que son existence n'est pas contestable.

« *La filiation de personnages comme Cuchulainn et Concho-bar est indiquée par le nom de la mère. Aussi bien étaient-ils de naissance irrégulière et précisément le droit irlandais attri-buait à la famille de la mère les enfants nés hors mariage* » (1).

MATRIARCAT ÉTRUSQUE

Son existence n'aurait rien d'étonnant compte tenu de la profonde influence méridionale que ce peuple a dû subir. Cependant il reste, malgré tout, très douteux, Si l'on adopte un moment l'origine troyenne des Etrusques, on se souvient qu'Enée en courant dans les rues de Troie détruite où il perdit sa mère, a surtout cherché à sauver son père et l'autel domestique, le foyer, d'après Virgile : le feu sacré du foyer ne s'éteindra pas, malgré la longue traversée maritime, jusqu'à Rome où il servira à fonder une nouvelle cité, à la manière aryenne. On sait, depuis Fustel de Coulanges, que l'entretien d'un feu permanent est une coutume spécifiquement indo-européenne. On peut craindre, tout au plus, que Virgile ait retracé les origines étrusques d'après des idées romaines.

La présence de figures d'amazones dans l'art étrusque est un argument supplémentaire contre l'existence du matriarcat en Etrurie.

AMAZONISME DU THERMODON

Le récit de la tradition qui suit est tiré de Diodore. Sur les rives du Fleuve Thermodon, habitait jadis un peuple gouverné par des femmes exercées, comme les hommes, au métier de la guerre. L'une d'elle, revêtue de l'autorité royale, et remarquable par sa force et son courage, forma une armée composée de femmes, l'accoutumant aux fatigues de la guerre et s'en servit pour soumettre quelques peuplades du voisinage. Ce succès ayant augmenté sa renommée, elle marcha contre d'autres peuples limitrophes. La fortune qui lui était encore favorable dans cette expédition l'enfla d'orgueil. La Reine se prétendit fille de Mars, contraignit les hommes à filer la laine et à se livrer à des travaux de femme ; elle fit des lois d'après lesquelles les fonctions militaires appartenaient aux femmes, tandis que les hommes

---

(1) H. Hubert, pp. 247 et 236 à 292, voir d'une façon générale.
Fils d'esclaves rebelles les « Bonis » ont reconquis leur liberté et restauré aujourd'hui dans la forêt guyanaise le matriarcat africain. Le mari rejoint la famille de sa femme.

étaient tenus dans l'humiliation de l'esclavage. Les femmes estropiaient les enfants mâles dès leur naissance, des jambes et des bras, de manière à les rendre impropres au service militaire ; elles brûlaient la mamelle droite aux filles afin que la proéminence du sein ne les gênât pas dans les combats. C'est pour cette dernière raison qu'on leur donne le nom d'Amazones. Enfin, leur Reine si célèbre par sa sagesse et son esprit guerrier fonda, à l'embouchure du fleuve Thermodon, une ville considérable, nommée Thémiscyre et y construisit un Palais fameux. Elle eut soin d'établir une bonne discipline, et avec le concours de son armée, elle recula jusqu'au Tanaïs les limites de son empire. Enfin, après de nombreux exploits, elle eut une mort héroïque dans un combat, en se défendant vaillamment. Sa fille, qui lui succéda au trône, jalouse d'imiter sa mère, la surpassa même en beaucoup de choses. Elle exerçait les jeunes filles à la chasse, dès leur plus tendre enfance et les accoutumait à supporter les fatigues de la guerre. Elle institua des sacrifices somptueux en l'honneur de Mars et de Diane surnommée Tauropole (habitant de la Tauride). Portant ses armes au delà du Tanaïs, elle soumit de nombreuses peuplades en étendant ses conquêtes jusqu'à la Thrace. De retour dans son pays, chargée de dépouilles, elle éleva à Mars et à Diane des Temples splendides et se concilia l'amour de ses sujets pour la justice de son gouvernement. Entreprenant ensuite une expédition d'un côté opposé, elle conquit une grande partie de l'Asie et étendit sa domination jusqu'à la Syrie. Les reines qui lui succédèrent comme héritières directes régnèrent avec éclat et ajoutèrent encore à la puissance et à la renommée de la nation des Amazones. Après un grand nombre de générations, le bruit de leur valeur s'étant répandu par toute la terre Hercule, fils d'Alcmène et de Jupiter, reçut, dit-on, d'Eurysthée la tâche de lui apporter la ceinture de l'Amazone Hippolyte. En conséquence, Hercule entreprit une expédition et gagna une grande bataille dans laquelle il détruisit l'armée des Amazones... Les Barbares se soulevèrent. Penthesilée, fille de Mars et Reine des Amazones, une rescapée du massacre, combattit longtemps après du côté des Troyens contre les Grecs et mourut de la main d'Achille (1).

Il ressort de ce texte que les Amazones d'Asie et celles d'Afrique ont le même comportement. Bien que d'origine eurasiatique, c'est leur propre société qu'elles ont en aversion. Leurs conquêtes se situent en Europe et en Asie, à l'exclusion de l'Afrique. Les dernières d'entre elles combattront auprès des Troyens,

---

(1) *Diodore* : op. cit., livre II, par. 45, 46.

alliés de l'Égypte, contre la Grèce personnifiant le régime patriarcal. Après leurs premières victoires elles se sédentarisent, bâtissent des villes et se vouent à l'agriculture, rejetant la vie nomade.

« *Leurs entreprises guerrières menées à bien, les héroïnes victorieuses se créèrent des domiciles, fondèrent des cités et se vouèrent à l'agriculture* » (1).

Chez les Amazones il y a succession systématique de reines au trône. C'est le résultat d'une réaction sur un régime patriarcal ; ce n'est pas un trait de matriarcat. Dans ce dernier, à la fille, héritière et gardienne légitime du trône par ses droits inviolables, est associé un homme — souvent son frère — qui envisage et exécute les grandes décisions d'intérêt national. Il n'y a donc pas exclusivisme, mais association. C'est pourquoi les Royaumes d'Asie Centrale, mentionnés par Turel, ne doivent pas être considérés comme régis par le matriarcat :

« *A côté de ces fragments, vestiges d'un système primitivement bien plus vaste, les rapports d'auteurs chinois sur l'Etat gynécocratique de l'Asie Centrale (ou la femme sut conserver sa prédominance tant politique que familiale, jusqu'au VIIIe siècle de notre ère) méritent toute notre attention* » (2).

La technique d'avilissement de l'homme est la même : il file la laine. On sait que telle était l'activité du roi asiatique dégénéré Sardanapale.

« *C'est dire qu'il a revêtu la robe transparente des prostituées lydiennes, et qu'il s'occupe à carder la laine comme Sardanapale et les autres souverains asiatiques corrrespondants* » (3).

C'est en vain qu'on chercherait l'équivalent de ces mœurs en Afrique et, en particulier, en Égypte, abstraction faite de l'influence étrangère.

Asie : RÈGNE DE LA REINE SEMIRAMIS

C'est encore à Diodore qu'il faut emprunter le récit relatant les actions de la reine légendaire Sémiramis.

---

(1) Turel : op. cit., p. 75.
(2) Id., op. cit., p. 77.
(3) Turel, op. cit., p. 148.

Comme c'est la plus célèbre de toutes les femmes que nous connaissons, il est nécessaire de montrer comment, d'une condition humble, elle arriva au faîte de la gloire. Fille de Vénus et d'un berger syrien, d'après la légende, elle fut élevée miraculeusement par des colombes qui avaient niché en grand nombre dans l'endroit où elle avait été exposée. Les bergers, ayant découvert l'enfant, le donnèrent au chef des bergeries royales nommé Simma : d'où le nom de Sémiramis ; d'autres disent que ce nom signifie colombe, en syrien. Elle fut donnée en mariage à Ménonès, un courtisan du roi, qui l'amena à Ninive et eut d'elle deux enfants, Hyapaté et Hydaspe. Elle fut associée à tous les travaux de son mari, étant donnée son intelligence. Le roi Ninus entreprit de conquérir la Bactriane. Il assiégea la capitale, la ville de Bactres, mais fut repoussé. Sémiramis qui était dans la suite du roi mit en œuvre son intelligence, donna à l'entreprise de Ninus une issue heureuse en trouvant le moyen de contourner les fortifications de la ville, tout en divertissant les défenseurs. Ce qui lui valut l'hommage du Roi qui la demanda en mariage, en proposant à son ancien époux de la lui céder. Le roi, qui menaçait de crever les yeux à son courtisan en cas de refus, obtint satisfaction, mais ce dernier se pendit et Sémiramis devint reine. Ninus eut d'elle un fils, Ninyas. En mourant, il laissa Sémiramis reine. On lui attribue, sinon la création, du moins l'embellissement de Babylone (1).

Certes, ces récits sont légendaires et il ne conviendrait pas de les prendre au pied de la lettre. Cependant, Sémiramis a existé comme les autres souverains légendaires sur lesquels l'histoire critique possède peu de documents : Menès, Minos, les Amazones, etc... La sociologie qui cherche, entre autres, à saisir la mentalité des peuples, loin d'être gênée par ces légendes, y trouve matière à réflexion. Par leur étude, on peut atteindre les dispositions sentimentales et sociales des peuples qui les ont enfantées. Bien sûr, il eut fallu savoir à quelle époque la légende naquit, et si elle n'a pas subi de modifications au cours du temps, autrement dit si elle est bien caractéristique de la période historique à laquelle on veut l'attribuer. Ces conditions idéales étant impossibles à remplir, il restera toujours une large part d'interprétation, qu'on peut, tout au plus, s'efforcer de restreindre. Mais on est bien obligé de procéder ainsi si on veut tenter d'écrire l'histoire de ces premières périodes de l'humanité dont très peu de témoignages ont survécu.

---

(1) *Diodore* : op. cit., Livre II, par. 4.

Sémiramis n'est pas, comme les reines africaines, princesse de naissance, consacrée reine par la tradition. C'est une courtisane d'humble condition que des circonstances favorables amènent à prendre le pouvoir. C'est donc une aventurière, comme toutes les reines asiatiques. Derrière elles, aucune tradition matriarcale.

En considérant donc les trois zones, Afrique, Europe, Asie, on peut présenter ainsi la situation de la femme.

En Afrique — Égypte et Éthiopie comprises — la femme jouit d'une liberté égale à celle de l'homme, a une personnalité juridique et peut occuper toutes les fonctions (Candace, reine d'Éthiopie et généralissime de son armée). Elle est déjà émancipée et aucun acte de la vie publique ne lui est étranger.

En Asie, par tradition, elle n'est rien. Toute sa fortune est dans l'aventure et la vie courtisane — tout au moins pour le berceau auquel nous avons limité cette étude. Ici, la notion de concubine et de harem revêt tout son sens.

En Europe, à l'époque classique (Grèce, Rome), aucune aventure courtisane, aucun truchement, aucun accident ne pouvait amener la femme à régner. Elle était plutôt assimilable à une esclave, dans la mesure où, n'ayant pas de personnalité juridique, ne pouvant même pas servir de témoin, cloîtrée dans le gynécée, ne pouvant participer à aucune délibération publique, le mari avait droit de vie et de mort, de vente sur elle et ses enfants qu'il pouvait exposer. Cependant, les « prostituées » sont les seules qui jouissent de l'estime et de la considération de l'élite intellectuelle, sans pour autant, pouvoir devenir « reines courtisanes » comme en Asie. Telle fut Aspasie amante de Périclès qui congédia sa femme légitime pour vivre avec elle, malgré la rumeur publique ; telles furent aussi la courtisane grecque Agathoclée avec Ptolémée IV Philopator qui tua son père et sa sœur-épouse Arsinoé, et les autres Grecques dont la plus célèbre est Rhodophis.

La femme européenne ne sera même pas émancipée par le Code Napoléon, comme l'a souligné Engels : il faudra attendre la fin de la dernière guerre pour voir voter la Française.

En revenant à l'Asie, on peut dire que, comme à Byzance, la succession au trône n'était réglée que par la violence, l'intrigue à l'exclusion de toute notion de matriarcat. Les rois perses prirent l'habitude de nommer leurs successeurs de leur vivant, et souvent l'assassinat politique faisait le reste.

D'après Maspéro, Cyrus règle sa succession à l'avance en désignant son fils aîné, Cambyse, qui tue son frère cadet pour éviter toute rivalité.

Cambyse est aussi le premier Aryen qui épouse sa sœur, selon la coutume égyptienne, sans que l'on sache, compte tenu de ses nombreuses crises d'épilepsie et de sa dépravation, — rapportées par Hérodote — si, cet acte ne relevait pas d'une intention sadique et incestueuse.

Matriarcat lycien

D'après Hérodote, Lycien viendrait de Lycos, fils de Pandion, roi d'Athènes ; mais les premiers habitants de la Lycie seraient des émigrés de Crète, sous la conduite de Sarpedon, frère de Minos. Les Lyciens nommaient leurs enfants exclusivement d'après le nom de la mère.

« *Leur généalogie était uniquement basée sur la filiation maternelle et c'était le rang social de la mère qui seul chez eux classait l'enfant. Nicolas de Damas complète ces données par des détails relatifs aux droits de succession exclusivement réservés aux filles et qui, selon lui, proviendrait de la coutume lycienne, droit non écrit que Socrate définit comme émanant de la divinité même* » (1).

Ce n'est pas le fils de Sarpedon qui lui succède, mais sa fille Laodamie. On a essayé de justifier cette coutume lycienne par la nécessité de doter les filles. Turel rappelle à ce sujet qu'à Rome on répétait, à satiété, que la fille sans dot ainsi mariée ne se distingue pas de la concubine.

« *Le fils, selon les anciens témoignages, reçoit du père, le javelot et l'épée. Cela doit suffire pour subvenir aux besoins de son existence. Mais, si la fille est privée d'héritage, elle devra sacrifier sa virginité pour acquérir la fortune qui lui assure un époux.*
......et, malgré la constitution de formes foncièrement patriarcales de leur peuple, des auteurs attiques trouvent que le meilleur usage que l'on puisse faire de la fortune maternelle est d'en doter la fille, afin de préserver cette dernière de la corruption » (2).

Il n'y aurait rien d'étonnant à ce que les Lyciens pratiquent le matriarcat s'ils sont vraiment originaires de Crète comme le

(1) Turel : op. cit., pp. 25 et 26.
(2) Turel, op. cit., pp. 60 et 61.

veut la tradition. Cependant, dans les faits rapportés subsiste une contradiction majeure qu'il convient de relever. Dans un régime matriarcal, on l'a déjà vu, c'est la personne qui hérite, c'est-à-dire la fille, qui reçoit en même temps la dot, car c'est elle qui ne quitte pas son clan, sa famille. Et ceci est absolument logique et bien fondé sur des faits quand on remonte à l'origine. Le fait de subordonner l'héritage de la fille à la nécessité de la doter au moment de son mariage, nous met donc en présence d'un régime patriarcal en pleine vigueur où la femme doit compenser son infériorité de rang par l'apport d'une dot à son mari. C'est donc pour satisfaire à cette exigence impérieuse de doter les filles dans toutes les sociétés indo-européennes, exigence qui poussait parfois à les supprimer ou à s'en débarrasser par la vente, que l'on semble avoir été amené à leur consentir un legs, un héritage qui puisse leur servir de dot. Cette dot que rien ne peut justifier en dehors des conditions de la vie patriarcale c'est en vain qu'on chercherait, dans la société gréco-romaine, après la sédentarisation, une raison matérielle pouvant la légitimer : elle est le prolongement d'une coutume qui remonte à l'époque de la vie nomade. Par conséquent, le matriarcat lycien est pour le moins douteux. Il comporte, en effet, deux faits contradictoires inconciliables au premier abord : la transmission des droits politiques par la fille, d'une part, ce qui relève d'un matriarcat authentique et, de l'autre, l'apport d'une dot pour se procurer un époux, coutume relevant du patriarcat non moins authentique. Mais, une telle juxtaposition de mœurs n'est-elle pas le propre d'une zone de confluence comme l'Asie Mineure ?

CHAPITRE V

Comparaison des autres aspects des Cultures Nordique et Méridionale

L'étude comparative des structures méridionale et nordique, de leurs réalisations, peut être généralisée et étendue à d'autres domaines que celui de la famille. C'est le sujet de cette étude qui a imposé de commencer par ce point. D'autre part, il n'était pas indifférent de savoir, en dépit des affirmations courantes, lequel des deux berceaux avait, le premier, offert à la femme la possibilité de s'épanouir.

La comparaison de la genèse des Etats, dans le nord et dans le sud, n'est pas moins édifiante.

CONCEPTION
DE L'ÉTAT
PATRIOTISME
La vie sédentaire et nomade n'a pas seulement engendré deux types de famille, mais également deux formes d'État. Le collectivisme est la conséquence logique du sédentarisme agricole. Il aboutit, de bonne heure, surtout dans le cas particulier de l'Égypte, à ce qu'André Aymard appelle *la vocation impériale* du Proche-Orient.

AFRIQUE

On sait que la structure de la Vallée du Nil a exigé de la population, dès l'installation de celle-ci, des entreprises et une activité générale communes de tous les Nomes et de toutes les villes, pour faire face à des phénomènes naturels, tels que les crues du fleuve. L'obligation de briser le cadre trop étroit, isolateur, de la famille primitive, c'est-à-dire du clan, la nécessité d'un pouvoir central fort, transcendant les individus, et coordonnant le travail, l'unification administrative et culturelle, la notion d'État et de Nation, tout cela était impliqué dans les conditions matérielles d'existence. Aussi les clans primitifs fusionnèrent-ils, très tôt, pour n'être plus que des divisions administratives (les Nomes). L'État apparut avec son appareil de Gouvernement perfectionné jusque dans ses moindres détails, sans que l'on puisse saisir, fut-ce à travers la légende, l'existence antérieure d'une période de vie nomade. Et ceci est valable pour l'Égypte, l'Éthiopie et le reste de l'Afrique Noire.

Le sentiment patriotique est, avant tout, un sentiment de fierté nationale. L'individu est subordonné à la collectivité, car c'est du bien public que dépend le bien individuel ; donc le droit privé est subordonné au droit public. Ce qui ne veut pas dire que l'individu est une quantité négligeable et que les civilisations méridionales, par opposition aux nordiques, font très peu cas des unités humaines, de la personnalité humaine.

EUROPE

Par contre, chez les Aryens, le style nomade de la vie fait de chaque clan, c'est-à-dire de chaque famille, une entité absolue, une cellule autonome, indépendante dans toutes ses déterminations, se suffisant à elle-même, au point de vue économique et autres. Aussi, le chef de famille n'a-t-il de comptes à rendre à personne, aucune autorité au-dessus de la sienne, aucune religion au-dessus de la sienne, aucune morale en dehors de la morale domestique. Cette situation, née durant la vie nomade, se perpétuera longtemps, après la sédentarisation ; Fustel de Coulanges a montré que le droit privé, chez les Aryens, est antérieur à la fondation de la cité, et que c'est la raison pour laquelle, pendant longtemps, l'État n'avait aucun pouvoir pour intervenir dans la vie privée des familles, c'est-à-dire, qu'à Rome et en Grèce, pendant des siècles, on pouvait tuer son fils, sa femme, son esclave ou les vendre sans commettre un crime à l'égard de l'État qui était alors la Cité. Le pouvoir public s'arrêtait à la porte des maisons.

« Le temps où l'homme ne croyait qu'aux dieux domestiques est aussi le temps où il n'existait que des familles. Il est bien vrai que ces croyances ont pu subsister ensuite, et même fort longtemps, lorsque les cités et les nations étaient formées. L'homme ne s'affranchit pas aisément des opinions qui ont une fois pris l'empire sur lui » (1).

---

(1) Fustel de Coulanges : op. cit., pp. 124 et 125.

Comme le remarque l'auteur, ces institutions conçues uniquement pour la vie nomade, constitueront pendant longtemps un obstacle à l'évolution politique et sociale après la sédentarisation.

« On peut donc entrevoir une longue période pendant laquelle les hommes n'ont connu aucune autre forme de société que la famille. C'est alors que s'est produite la religion domestique, qui n'aurait pas pu naître dans une société autrement constituée et qui a dû même être un obstacle au développement social. Alors aussi s'est établi l'ancien droit privé, qui plus tard s'est trouvé en désaccord avec les intérêts d'une société un peu étendue, mais qui était en parfaite harmonie avec l'état de société dans lequel il est né ».

....

...Dans la mort même ou dans l'existence qui la suit, les familles ne se mêlent pas. Chacune continue à vivre à part dans son tombeau, d'où l'étranger est exclu. Chaque famille a aussi sa propriété, c'est-à-dire sa part de terre qui lui est attachée inséparablement par sa religion : ses dieux Termes en gardent l'enceinte, et ses Mânes veillent sur elle. L'isolement de la propriété est tellement obligatoire que deux domaines ne peuvent pas confiner l'un à l'autre et doivent laisser entre eux une bande de terre qui soit neutre et qui reste inviolable » (1).

La mitoyenneté, même entre deux maisons, était un sacrilège. A la formation des cités, la loi de l'isolement prévalut.

« Entre deux cités voisines, il y avait quelque chose de plus infranchissable qu'une montagne : c'était la série des bornes sacrées, c'était la différence des cultes, c'était la barrière que chaque cité élevait entre l'étranger et ses dieux » (2).

Rien ne devait être commun entre deux cités. A cause de la religion, aucune autre forme d'organisation sociale que la cité n'était possible. Chacune était souveraine, avait son propre système de poids et mesures, son calendrier et ses fêtes, ses annales et ne pouvait concevoir aucune autorité transcendante. Lorsqu'une ville était vaincue, dit Fustel de Coulanges on pouvait la saccager, tuer tous ses habitants ou les vendre comme esclaves, mais on ne pouvait pas substituer sa souveraineté étrangère

_____

(1) Fustel de Coulanges : op. cit., p. 126.
(2) Fustel de Coulanges : op. cit., p. 239.

à celle de ses citoyens et la gouverner comme une colonie. La nature même des institutions s'opposait donc à l'unification des territoires pour la formation d'une nation.

C'est donc par suite d'une influence extérieure, probablement méridionale et égyptienne, le changement des conditions de vie aidant, que les Gréco-Latins ont accédé, petit à petit, à la notion d'une unité nationale, d'un empire. Fustel de Coulanges remarque avec justesse :

> « *Si l'on compare les institutions politiques des Aryas de l'Orient, avec celle des Aryas de l'Occident, on ne trouve presqu'aucune analogie. Si l'on compare, au contraire, les institutions domestiques de ces divers peuples, on s'aperçoit que la famille était constituée d'après le même principe que dans la Grèce et dans l'Italie* » (1).

Alors que les institutions domestiques des Aryens leur appartiennent en propre, leurs institutions politiques semblent avoir été empruntées à l'extérieur.

Ce particularisme des institutions qui ne prévoit pas le cas de l'étranger, la xénophobie qui en était la conséquence explique le patriotisme forcené des anciens gréco-latins. L'homme libre quand il était étranger dans une ville, tout au moins jusqu'aux premières révolutions, devait se faire obligatoirement « client » c'est-à-dire, esclave, d'un citoyen de la cité qui le protège. La notion d'un étranger libre et jouissant d'une personnalité juridique, n'effleurait pas les Gréco-Latins. Tuer un étranger n'était pas un crime ; les lois ne prévoyant pas son cas, il ne pouvait porter plainte contre personne et ne pouvait être jugé par aucun tribunal. On n'était homme que chez soi.

> « *La petite patrie était l'enclos de la famille, avec son tombeau et son foyer. La grande patrie était la cité, avec son Prytanée et ses héros, avec son enceinte sacrée et son territoire marqué par la religion. Terre sacrée de la patrie, disaient les Grecs. Ce n'était pas un vain mot. Ce sol était véritablement sacré pour l'homme, car il était habité par ses dieux. Etat, Cité, Patrie, ces mots n'étaient pas une abstraction, comme chez les modernes ; ils représentaient réellement tout un ensemble de divinités locales avec un culte de chaque jour et des croyances puissantes sur l'âme* ....
> ... *Une telle patrie n'est pas seulement pour l'homme un domicile. Qu'il quitte ces saintes murailles, qu'il franchisse les limites*

---

(1) Fustel de Coulanges : op. cit., p. 125.

sacrées du territoire, et il ne trouve plus pour lui ni religion ni lien social d'aucune espèce. Partout ailleurs que dans sa patrie il est en dehors de la vie régulière et du droit ; partout ailleurs il est sans dieu et en dehors de la vie normale. Là seulement il a sa dignité d'homme et ses devoirs. Il ne peut être homme que là » (1).

Le patriotisme gréco-latin, nordique, est donc spécifiquement différent du patriotisme égypto-africain, quant aux raisons qui sont à leur origine. La xénophobie des pays nordiques, par opposition à la xénophilie des pays à régime matriarcal, était telle qu'à l'époque d'Hérodote, au ve siècle, seul un devin avait encore acquis la nationalité athénienne, tandis qu'en Égypte, selon Fontanes, dès la XIIe dynastie, des Noirs, des Blancs et des Jaunes étaient déjà admis à vivre comme des citoyens égaux (2).

Autant la force du droit privé révélait au début de la formation des cités l'existence d'une période nomade antérieure, autant le droit public va prendre le pas, avec le temps, sur les institutions privées ; et, à la fin, la vie de l'individu sera complètement subordonnée à celle de l'État. En réalité, la liberté individuelle n'a existé qu'à l'époque patriarcale pour les seuls chefs de famille. Maintenant elle n'existe plus pour personne, avec le renforcement de l'autorité de l'État-Cité ; celui-ci se charge de l'éducation des enfants, peut ordonner à chaque citoyen ce qu'il doit faire, exile ceux d'entre eux qui sont trop vertueux (ostracisme), intervient jusque dans les sentiments des citoyens.

« *Il n'y avait rien dans l'homme qui fût indépendant... La vie privée n'échappait pas à cette omnipotence de l'État. Beaucoup de cités grecques défendaient à l'homme de rester célibataires. Sparte punissait non seulement celui qui ne se mariait pas, mais même celui qui se mariait tard. L'État pouvait prescrire à Athènes le travail, à Sparte l'oisiveté. Il exerçait sa tyrannie jusque dans les plus petites choses ; à Locres, la loi défendait aux hommes de boire du vin pur ; à Rome, à Milet, à Marseille, elle le défendait aux femmes. Il était ordinaire que le costume fût fixé invariablement par les lois de chaque cité ; la législation de Sparte réglait la coiffure des femmes, et celle d'Athènes leur interdisait d'emporter en voyage plus de trois robes. A Rhodes la loi défendait de se raser la barbe, à Byzance elle punissait d'une amende celui qui possédait*

---

(1) Fustel de Coulanges, op. cit., pp. 233 et 234.
(2) Marius Fontanes : Les Égyptes, Paris, 1880, p. 169.

chez soi un rasoir ; à Sparte, au contraire, elle exigeait qu'on se
rasât la moustache.

L'Etat avait le droit de ne pas tolérer que ses citoyens fussent
difformes ou contrefaits. En conséquence il ordonnait au père à
qui il naissait un tel enfant, de le faire mourir. Cette loi se trouvait
dans les anciens codes de Sparte et de Rome. Nous ne savons pas si
elle existait à Athènes ; nous savons seulement qu'Aristote et Platon
l'inscrivirent dans leurs législations idéales. Il y a dans l'histoire
de Sparte un trait que Plutarque et Rousseau admiraient fort.
Sparte venait d'éprouver une défaite à Leuctres et beaucoup de
ses citoyens avaient péri. A cette nouvelle, les parents des morts
durent se montrer en public avec un visage gai. La mère qui savait
que son fils avait échappé au désastre et qu'elle allait le revoir,
montrait de l'affliction et pleurait. Celle qui savait qu'elle ne rever-
rait plus son fils, témoignait de la joie et parcourait les temples
en remerciant les dieux. Quelle était donc la puissance de l'Etat
qui ordonnait le renversement des sentiments naturels et qui était
obéi ! (1). »

Que reste-t-il donc de la liberté individuelle qui semblait
si caractéristique du berceau nordique depuis l'antiquité ? Rien
pour la période qui nous intéresse ; on a vu qu'elle a cessé d'exister peu après la sédentarisation et que, même avant, elle n'était
valable que pour le « pater familias ».

Au contact des États méridionaux et avec la cessation de la
vie nomade, les Nordiques vont concevoir un type particulier
d'État qui reste marqué des séquelles de la période antérieure.
Il aboutit très vite à un totalitarisme qu'on qualifierait de « nazi »
de nos jours et qui n'a pas son répondant dans le sud, Égypte,
Éthiopie et le reste de l'Afrique Noire. Il est assez probable que
le citoyen égyptien fut écrasé sous le poids des impôts et des
corvées à l'époque de la construction des Pyramides, mais il
n'a jamais connu cette intrusion de l'État dans sa vie privée.
Il est impossible de citer dans l'histoire de l'Égypte ancienne,
de l'Éthiopie et de l'Afrique Noire, un seul cas où l'autorité
étatique aurait imposé d'exposer les enfants pour la seule raison qu'ils sont nés difformes, ou de permettre la limitation de
leur naissance. Au contraire le respect de la vie, de la personne
humaine était tel que, d'après Hérodote, lorsqu'un citoyen nubien
était condamné à mort l'Etat se contentait de lui intimer l'ordre de se supprimer, mais sa propre mère veillait alors, par pa-

---

(1) Fustel de Coulanges : op. cit., pp. 265-266.

triotisme et par civisme, à l'exécution de la sentence et s'en chargeait elle-même si le fils venait à faillir. Ceci rappelle, il est vrai, la mort de Socrate condamné à boire la ciguë. Mais l'influence méridionale, dans les pays nordiques, ne s'est pas bornée au cadre étatique, elle se retrouve aussi au niveau de la législation, pour l'amélioration des conditions de vie et l'égalité des citoyens. Lorsque Solon fut désigné par les Athéniens pour leur rédiger un Code devant régir leur vie publique et privée, il s'inspira officiellement de la Sagesse égyptienne. Platon rapporte qu'il est allé en Égypte s'initier auprès des prêtres qui, alors, considéraient les Grecs comme des enfants ; en réalité ils étaient seulement plus jeunes dans la voie de la civilisation.

Pourrait-on concilier cette place faite à l'individu dans les sociétés méridionales avec les cas de sacrifices humains qu'on y a relevés ? En réalité ceux-ci sont communs à toute l'humanité. Chez les Grecs, à l'origine, on mangeait les ennemis vaincus crus ou cuits ; on trouve des traces de cet usage dans l'Iliade. Agamemnon, généralissime des Grecs, sacrifie sa fille Iphigénie, avant le départ pour Troie, afin de se concilier les dieux de la Victoire. Son grand-père avait déjà servi à son frère, à table, la chair de ses neveux. Ce fut, selon la tradition, l'origine du destin effroyable qui frappa la branche des Atrides, c'est-à-dire d'Agamemnon. Chez les Hébreux, Abraham marque la démarcation ; c'est à partir de lui que les mœurs s'adoucissent, que l'on commence à substituer des animaux aux êtres humains destinés au sacrifice. Le remplacement d'Isaac, son fils, par le bélier amené par un ange après le terrible ordre divin que la tradition a toutes les peines à justifier, ne peut être interprété que de cette manière.

En Égypte des scènes représentant peut-être des sacrifices humains remontant à la Préhistoire sont sculptées sur la Palette de Narmer découverte par Quibell à Hiérakonpolis. Par contre, il semble que les Hébreux les pratiquaient encore jusqu'au vᵉ siècle au temps où Hérodote visita l'Egypte. On les a signalés également chez certaines tribus germaniques.

En Afrique Noire, ils n'ont survécu que d'une façon très parcellaire, au Dahomey, en pays Mossi, contrairement à l'opinion répandue. Quant à l'anthropophagie proprement dite, dans les cas réels, elle est surtout liée à la pénurie économique, comme ce fut le cas en Europe au Moyen-Age, ou dans l'Antiquité pour les armées de Cambyse en marche contre l'Éthiopie.

La différence des berceaux n'a donc pas seulement engendré deux familles différentes ; elle est aussi à l'origine de deux types d'État irréductibles l'un à l'autre. Mais l'État-Cité nordique qui est une organisation sédentaire sur la base d'idées acquises sous la vie nomade, s'avèrera le moins adapté aux nouvelles conditions de vie des citoyens qui le servent. Il explosera donc, pour ainsi dire, sous nos yeux à l'époque historique pour faire place au type d'État méridional : celui qu'on pourrait appeler l'État territorial, par opposition à l'État-Cité, couvrant plusieurs villes et se muant même quelquefois en Empire. Telle fut l'évolution de la cité Romaine, jusqu'au moment de son apogée où elle pouvait considérer la Méditerranée comme une mer intérieure : *mare nostrum*.

L'évolution du patriotisme sera corollaire de celle de l'État avec la disparition de la xénophobie aryenne.

ROYAUTÉ Les impératifs de la vie agricole collective exigèrent de bonne heure l'existence d'une autorité temporelle, coordonnatrice qui ne tarda pas à transcender la société pour prendre un caractère supranaturel, divin.

« *Dès l'origine, le roi est dieu. Non pas par image, afin de rappeler sa toute-puissance et sa supériorité sur l'homme du commun. C'est, au contraire, l'expression littérale d'une croyance qui constitue l'une des particularités essentielles de l'Egypte. La croyance d'ailleurs, a évolué. Mais elle n'a jamais perdu de sa force* » (1).

Roi-Dieu, cette idée semble n'avoir jamais retenu particulièrement l'attention des Aryens ; les rois, chez eux, étaient tout au plus les intermédiaires entre la divinité et le commun des mortels, à qui ils transmettaient les ordres divins dans le cadre d'un cérémonial rituel bien établi. Mais ils étaient hommes aux yeux de tous et même aux époques les plus reculées.

En ce temps, où la fonction sociale du roi aryen n'était pas encore superflue, ce dernier, remarque Fustel de Coulanges, jouissait d'une autorité sainte et inviolable. La royauté était vraiment vécue par le peuple et le souverain se passait bien de tout l'appareil répressif dont les États modernes ont besoin pour se faire obéir.

« *La royauté s'est établie tout naturellement, dans la famille d'abord, dans la cité plus tard. Elle ne fut pas imaginée par l'ambition de quelques-uns ; elle naquit d'une nécessité qui était mani-*

---

(1) A. Aymard et J. Auboyer : L'Orient et la Grèce antique, op. cit., p. 22.

feste aux yeux de tous. Pendant de longs siècles, elle fut paisible,
honorée, obéie. Les rois n'avaient pas besoin de la force matérielle ;
ils n'avaient ni armée, ni finances ; mais, soutenus par des croyan-
ces qui étaient puissantes sur l'âme, l'autorité était sainte et invio-
lable (1). »

Il régnait donc une confusion du sacerdoce et du pouvoir
temporel. On était vraiment roi-prêtre, interprète de la volonté
divine, mais pas dieu. Lorsque la royauté sera renversée, les
croyances religieuses subsistant, on s'adressera au « sort » pour
connaître la volonté divine quant au choix des magistrats.

« *Platon exprimait la pensée des Anciens quand il disait :*
« *l'homme que le sort a désigné, nous disons qu'il est cher à la*
divinité et nous trouvons juste qu'il commande. Pour toutes les
magistratures qui touchent aux choses sacrées, laissant à la divinité
le choix de ceux qui lui sont agréables, nous nous en remettons au
sort ». *La cité croyait ainsi recevoir ses magistrats de dieu* » (2).

Les raisons qui président au choix du Roi Africain, de celui
qu'on pourrait appeler son premier magistrat, sont toutes différentes. Ce ne sont pas des dieux qui désignent le candidat le
plus apte, par le truchement d'un tirage au sort et sur la base
d'on ne sait quel critère.

Le choix de l'africain, qu'il soit égyptien ancien, éthiopien,
ou ressortissant du reste de l'Afrique Noire, en particulier Bantou, est lié à l'idée qu'il se fait du monde des êtres, des essences ;
donc, à toute une ontologie, à une métaphysique que le R. P.
Tempels appelle « La philosophie bantoue ». L'univers entier
est morcelé en une série d'êtres, de forces quantitativement
différentes, donc qualitativement aussi. Il en découle une hiérarchie ou ordre naturel. Chacune de ces parcelles d'essences,
d'êtres ontologiques nous apparaît par le truchement d'un
corps matériel animé ou inorganique. Ces forces, qu'on dit vitales,
sont additives, c'est-à-dire que, si je porte sur moi, sous forme
de talisman, amulette, fétiche... — on l'appellera comme on
voudra — l'organe où la force vitale d'un animal est censé se
localiser (griffe ou croc de lion, par exemple) j'ajoute cette force
à la mienne. Pour qu'un ennemi venu de l'extérieur puisse me
détruire d'une façon ontologique, et par voie de conséquence,

(1) Fustel de Coulanges : op. cit., p. 208.
(2) Fustel de Coulanges : op. cit., p. 213.

d'une façon physique, il faut qu'ils totalisent, par des moyens similaires, une somme de force vitale supérieure à celle dont je dispose maintenant que je me suis associé celle du lion. Cet univers de forces est assujetti à une pesanteur, une sorte de loi de gravitation qui exige que la position de chaque corps soit naturellement fonction de son poids d'être, de sa quantité de force vitale. Le contraire romprait l'harmonie universelle et l'accomplissement naturel des phénomènes serait gravement troublé. C'est à un désordre ontologique de ce genre qu'est imputable l'apparition des sécheresses, les mauvaises récoltes, les nuages de sauterelles, les épidémies de peste, etc... Donc c'est l'ordre et l'harmonie universels qui exigent que chaque être animé ou inorganique soit à sa place et, qu'en particulier, l'homme qu'il faut soit à la place qu'il faut.

Telle est la nécessité qui préside au choix du roi. Celui-ci doit être, parmi tous les êtres vivants, celui qui dispose de la plus grande quantité de force vitale. C'est dans cette condition seulement que le pays ne connaîtra pas de calamités. On comprend ainsi pourquoi, d'après Hérodote, les Éthiopiens Macrobiens désignaient comme roi le plus fort et le plus sain d'entre eux. On pénètre également le sens profond de la fête du *ZED* en Égypte, dite de mise à mort rituelle du Roi. Il s'agit, lorsque celui-ci à la suite d'un long règne et à un certain âge, a perdu réellement sa vigueur aux yeux de tous, de la lui renouveler par des rites magiques qui, dirions-nous, ne peuvent qu'augmenter sa force vitale puisque, à l'issue de la cérémonie, le roi est apparemment aussi vieux qu'auparavant. Si sa vigueur a changé ce ne peut être que d'une façon ontologique dans le domaine de ce qu'on peut appeler, chez un être, sa force vitale.

Il semble que, dans les temps primitifs, le roi était purement et simplement mis à mort, après un certain nombre d'années de règne, au bout desquelles on estime que la vigueur qui lui permettait d'assurer sa fonction s'est épuisée.

« *Durant le règne des cérémonies du même ordre se renouvellent. Ce sont des jubilés ; mais le sens de la plupart d'entre elles est plus riche que celui de simples fêtes. Il s'agit de rendre au roi, dans leur fraîcheur vigoureuse d'autrefois, ces forces religieuses et magiques dont dépend la prospérité du pays. Sans doute ces cérémonies représentent-elles l'adaptation de coutumes brutales qui, à l'origine, aboutissaient à sa mise à mort et à son remplacement par un successeur plus jeune* » (1).

(1) A. Aymard et J. Auboyer : op. cit., p. 24.

Seligman a montré que cette conception vitaliste de l'Égypte ancienne est également celle du reste de l'Afrique Noire, même de nos jours (1). Chez certains peuples d'Afrique le roi est effectivement mis à mort après une durée variable de règne, qui est de dix ans chez les Mboum de l'Afrique Centrale, et la cérémonie a lieu avant la récolte du mil. Parmi les peuples qui pratiquent encore la mise à mort rituelle du roi, il faut citer les Yorouba, les Dagomba, les Tchamba, les Djoukon, les Igara, les Songhaï, les Wouadaï, les Haoussa du Gobir, du Katsena et de Daoura, les Shillouk (2). Cette pratique existait également dans l'ancien Méroé, c'est-à-dire au Soudan de Khartoum, en Ouganda-Ruanda.

Un tel roi était en même temps le prêtre qui, en Égypte, déléguait ses fonctions sacerdotales à un officiant qui les accomplissait quotidiennement au temple.

Le roi africain se distingue du roi nordique par son essence divine et par le caractère vitaliste de ses fonctions. L'un est un homme-prêtre, l'autre est un dieu-prêtre parmi les vivants : le roi d'Égypte est bien le Dieu Faucon, Horus, vivant pour le plus grand bien de tous, même dans son activité sportive :

« *Chassant et pêchant, il accomplit encore son rôle conventionnel de souverain, puisqu'il se montre toujours, ce faisant, habile, fort et soucieux, au moins à la chasse — même le crocodile et l'hippopotame existent dans les marais — de purger le pays d'animaux sauvages* » (3).

Le roi en Égypte et en Éthiopie était aussi le premier agriculteur : on le voit souvent dans les représentations donnant le premier coup de pioche (en signe de bénédiction ?) pour commencer le creusement d'un canal. D'après Caillaud, qui a découvert Méroé, on l'appelait le premier agriculteur, au Pays de Sennar, c'est-à-dire, en Nubie. C'est à lui qu'on doit la fécondité des champs et l'absence des calamités sociales de toutes sortes. Aussi trouvait-on normal qu'il prélevât — rituellement, pour ainsi dire — une fraction des récoltes de chacun pour l'entretien de sa propre famille et de ses serviteurs.

Il en fut ainsi dans les premières royautés, jusqu'à ce que l'appareil administratif introduisît la corruption. Evidemment,

---

(1) Seligman : A study in divine kingship, Londres, 1934.
(2) Westermann et Baumann : Peuples et Civilisations de l'Afrique (traduction : Mlle Homburger, Payot, 1941), p. 328.
(3) A. Aymard : op. cit., p. 25.

la fonction de défense du pays incombait aussi au roi, mais dans les pays méridionaux agraires, pendant les longues époques de paix, le rôle militaire du roi s'estompait et passait au second rang derrière son rôle sacerdotal et agricole. Les choses se passèrent ainsi jusqu'à l'époque où le monde méridional fut menacé et envahi par le monde indo-européen, au cours du second millénaire.

« *Nombre de souverains égyptiens semblent avoir vécu pacifiquement, et l'éloge fréquent de la paix, avec des accents presque modernes, ne constitue pas la moins remarquable originalité de la littérature même officielle de l'Egypte* » (1).

Autant, avant l'attaque des Nordiques, la guerre n'était pas l'apanage du Sud, autant l'agriculture n'était pas celui du berceau septentrional. C'est donc, selon toute vraisemblance, au contact du monde méridional de l'époque égéenne que les envahisseurs nordiques de la Grèce et de l'Italie, prirent, petit à petit, l'habitude de pratiquer, de respecter, et même de considérer finalement comme sacrée l'agriculture, ainsi que c'est la coutume dans le berceau méridional. Il y a, en effet, contradiction, à ce que des nomades divinisent la culture du sol. Aussi maintes preuves montrent que, sur la presqu'île italique, ce sont les Etrusques qui ont initié les Romains jusque dans le tracé rituel de la ville avec la charrue. En Grèce, la tradition fait remonter à Cécrops et Egyptos, tous deux fils d'Égypte, l'adoption de l'agriculture comme activité nationale.

RELIGION Dans le domaine de la religion, également, la différence n'est pas moins grande entre les conceptions nordiques et méridionale.

Mircéa Eliade, dans son *Histoire des religions,* a voulu montrer le caractère universel de certaines croyances religieuses, tels que les rites chtonico-agraires qu'on trouverait plus ou moins, dans toutes les sociétés à l'origine. Pourtant, un examen approfondi des faits oblige à rejeter ce point de vue. Il est contradictoire, par exemple, que la culture et la pensée religieuse d'un peuple nomade débute par des rites agraires. Ce serait donc après la sédentarisation que les nomades aryens auraient adopté, en même temps que l'agriculture, les rites et la religion corollaire. De sorte que, si on ne tient pas compte de la chrono-

---

(1) A. Aymard : op. cit., p. 26.

logie, on risque de généraliser des croyances qui, à l'origine, étaient très localisées.

Eliade a bien montré qu'avec la découverte de l'agriculture est née une religion fondée sur une Triade cosmique, devenue atmosphérique : le Ciel, ou Dieu-Père, par l'intermédiaire de la pluie, féconde la Terre, ou Déesse-Mère pour que naisse la Végétation-Fille. Ces trois divinités cosmiques ne tardèrent pas à s'anthropomorphiser — entendons, s'incarner dans des êtres humains — en les personnes d'Osiris, Isis, Horus, mais à une époque où, sans aucun doute, les Aryens étaient encore nomades et pratiquaient un culte nettement différent, sur lequel la linguistique comparée permet de jeter quelques lueurs. Le témoignage de César est formel sur ce point et atteste que, jusqu'à une époque récente, les croyances nordiques et méridionales restent distinctes.

« Les usages des Germains sont très différents : car ils n'ont point de druides pour présider au culte et ne s'occupent guère de sacrifices. Ils ne comptent de dieux que ceux qu'ils perçoivent et dont les bienfaits sont sensibles, le soleil, Vulcain et la lune : ils n'ont pas même entendu parler des autres » (1).

Avec Tacite, on décèle déjà l'influence méridionale chez les Germains Suèves (Souabes actuels) qui « *sacrifiaient à Isis* », commençant ainsi à adopter les rites agraires du sud. Vendryès a montré quelle fut l'étendue et la profondeur de cette influence religieuse méridionale récente.

Avec Fustel de Coulanges on apprend que la base religieuse de la famille patriarcale nomade est le culte des Ancêtres :

« C'est une grande preuve de l'antiquité de ces croyances et de ces pratiques que de les trouver à la fois chez les hommes des bords de la Méditerranée et chez ceux de la presqu'île indienne. Assurément les Grecs n'ont pas emprunté cette religion aux Hindous, ni les Hindous aux Grecs. Mais les Grecs, les Italiens, les Hindous appartenaient à une même race ; leurs ancêtres, à une époque fort reculée, avaient vécu ensemble dans l'Asie Centrale. C'est là qu'ils avaient conçu d'abord ces croyances et établi ces rites. La religion du feu sacré date donc de l'époque lointaine et obscure où il n'y avait encore ni Grecs, ni Italiens, ni Hindous et où il

---

(1) *Cesar* : La Guerre des Gaules, Livre VI, chap. 21.

n'y avait que des Aryas. Quand les tribus s'étaient séparées les unes des autres, elles avaient transporté ce culte avec elles, les unes sur les rives du Gange, les autres sur les bords de la Méditerranée. Plus tard parmi ces tribus séparées et qui n'avaient plus de relations entre elles, les unes ont adoré Brahma, les autres Zeus, les autres Janus ; chaque groupe s'est fait ses dieux. Mais tous ont conservé comme un legs antique la religion première qu'ils avaient conçue et pratiquée au berceau commun de leur race » (1).

D'après l'auteur, on le voit, les dieux de la Nature, tel que Zeus, ont été adoptés tardivement, contrairement à l'opinion qui fait remonter leur origine au temps des steppes et qui s'appuie sur des analogies linguistiques, pour le moins douteuses. En montrant qu'il n'est pas dans leur nature intime, de ne pas être adorés par l'étranger, qu'ils ne sont pas xénophobes, il les oppose aux dieux du foyer qui ne sauraient souffrir la présence ou l'adoration de l'étranger. Le culte domestique séparait les individus jusque dans la mort, car même outre-tombe les familles ne se mêlent pas. Il eut longtemps la suprématie sur les autres cultes ; Agamemnon, généralissime victorieux, revenant de Troie s'adresse d'abord à son foyer pour le remercier :

« Ce n'est pas Jupiter qu'il va remercier ; ce n'est pas dans un temple qu'il va porter sa joie et sa reconnaissance ; il offre le sacrifice d'actions de grâces au foyer qui est dans sa maison » (2).

A l'origine, les divinités nationales elles-mêmes étaient domestiques et appartenaient à des familles privées.

« Il fallut beaucoup de temps avant que ces dieux sortissent du sein des familles qui les avaient conçus et qui les regardaient comme leur patrimoine. On sait même que beaucoup d'entre eux ne se dégagèrent jamais de cette sorte de lien domestique. La Déméter d'Eleusis resta la divinité particulière de la famille des Eumolpides ; l'Athénée de l'Acropole d'Athènes appartenait à la famille des Butades. Les Potitii de Rome avaient un Hercule et les Nautii une Minerve ....
Il arriva à la longue que, la divinité d'une famille ayant acquis un grand prestige sur l'imagination des hommes et paraissant puissante en proportion de la prospérité de cette famille, toute

---

(1) Fustel de Coulanges : op. cit., p. 26.
(2) Fustel de Coulanges : op. cit., p. 23.

une cité voulut l'adopter et lui rendre un culte public pour obtenir ses faveurs. C'est ce qui eut lieu pour la Déméter des Eumolpides, l'Athénée des Butades, l'Hercule des Potitii » (1).

Ce caractère privé, domestique, est un trait commun aux dieux aryens et sémitiques. En effet, même après le triomphe du monothéisme dans la conscience humaine, Javeh restera le dieu de son « peuple élu », comme il était, à l'origine, le dieu de la tribu qu'aucun étranger ne pouvait adorer. Point de salut universel : il n'aime et ne sauve que les siens. Comme Zeus, il est rancunier et coléreux et se manifeste par le tonnerre (2). Il devait être même, à l'origine, une sorte de dieu Agni — culte du feu — si caractéristique du berceau nordique. On se souvient que c'est sous forme d'une colonne de fumée, de buisson ardent ou d'autre manifestation volcanique, qu'il apparaissait soit à Moïse, soit au peuple, comme guide. Fustel de Coulanges insiste sur le fait que, pendant longtemps, l'idée d'un dieu universel n'a pas effleuré la pensée gréco-romaine :

« Il faut bien reconnaître que les anciens, si nous exceptons quelques rares intelligences d'élite, ne se sont jamais représenté Dieu comme un être unique qui exerce son action sur l'univers. Chacun de leurs innombrables dieux avait son petit domaine : à l'un une famille, à l'autre une tribu, à celui-ci une cité : c'était là le monde qui suffisait à la providence de chacun d'eux. Quant au Dieu du genre humain, quelques philosophes ont pu le deviner, les mystères d'Eleusis ont pu le faire entrevoir, aux plus intelligents de leurs initiés, mais le vulgaire n'y a jamais cru. Pendant longtemps l'homme n'a compris l'être divin que comme une force qui le protégeait personnellement, et chaque homme ou chaque groupe d'hommes a voulu avoir ses dieux » (3).

La vocation n'était probablement pas au monothéisme car Fustel de Coulanges a compté le nombre de dieux qu'il y avait à Rome : ils étaient plus nombreux que les citoyens : *« Il y a dans Rome plus de dieux que de citoyens »* (4).

Ce qu'on sait du culte primitif dans cette ville permet d'affirmer que les Latins ne représentaient pas leurs dieux à l'origine.

---

(1) Fustel de Coulanges : op. cit., pp. 140-141.
(2) Il serait intéressant d'étudier l'étymologie de Tör terme par lequel les sémites actuels (arabes) désignent le Sinaï où Moïse s'est entretenu avec Iaveh par la voix du tonnerre. Thor est le dieu germanique du tonnerre.
(3) Fustel de Coulanges : op. cit., pp. 172 et 173.
(4) Id., op. cit., p. 255.

Cette particularité au lieu de relever d'un génie d'abstraction cadrerait plutôt avec les nécessités de la vie nomade. Les mêmes raisons matérielles qui obligeaient à incinérer les ancêtres, afin de rendre leurs cendres transportables, interdisaient de transporter également des figures d'ancêtres sculptées ou de tout autre dieu pendant les longues randonnées. Il faut donc reconnaître que la non représentation matérielle de la divinité semble être d'abord un trait culturel nordique. Les Scythes eux-mêmes, malgré leur état primitif, ne se représentaient Arès (Mars, dieu de la guerre) que sous la forme sommaire d'une épée plantée sur un tas de bois.

La situation religieuse était toute différente dans le sud, en Afrique. La clémence du milieu physique aidant, les Nubiens et les Égyptiens eurent, de bonne heure, plus d'un millier d'années avant les Gréco-Latins et les Sémites, la notion d'un Dieu tout puissant, créateur de tout ce qui existe, bienfaiteur de toute l'humanité sans distinction, n'importe qui pouvant devenir son adepte et gagner le salut. Tel fut Ammon qui, jusqu'à nos jours, est le Dieu de toute l'Afrique Occidentale : il est celui que Marcel Griaule a décrit dans « Dieu d'Eau » ; Amma, Dieu des Dogons, est bien le dieu de l'eau, de l'humidité, de la fécondité. Il a les mêmes attributs qu'Ammon, aussi bien au Soudan qu'en Nigéria chez les Yorouba. Plutarque, dans « Isis et Osiris » pense que son nom signifie, en égyptien : caché, invisible. On peut remarquer que, dans une langue africaine actuelle, comme le valaf, dont la parenté avec l'égyptien ancien n'est pas douteuse, la racine *Amm* signifie le fait d'être, qui-est, l'existence par opposition au néant.

Quoi qu'il en soit, en Égypte, le culte d'Ammon ne tarda pas à enrichir et à rendre très importante la caste de prêtres qui le servaient. Il s'ensuivit la réaction d'Akhnaton, entourée de circonstances mal connues. Breasted considère ce pharaon comme le premier inventeur du monothéisme le plus pur dans l'histoire de l'humanité (1). Le dieu Aton qu'il conçut ne se saisissait pas sous forme d'une représentation statuaire : le disque solaire symbolisait sa puissance, par sa luminosité et ses rayons vivifiant toute la nature. Il avait donc un trait commun avec les dieux nordiques et certains historiens inclinent à penser que ce fait pourrait être lié, soit à l'origine mitannienne de la grand-mère d'Akhnaton, ou à l'influence de sa femme Nefertiti.

---

(1) Breasted : La conquête de la civilisation (Payot).

Lorsque Hérodote insiste sur la piété des Égyptiens et qu'il affirme qu' « *ils sont aussi les premiers à énoncer cette doctrine que l'âme de l'homme est immortelle* », les historiens pensent qu'il n'exagère pas (1).

Certes, on peut relever comme un trait particulier à l'Égypte et à l'Afrique Noire ce culte effréné des animaux, cette zoolâtrie que les Grecs ont tant raillée et dont André Aymard remarque qu'on n'en trouve pas de traces en Asie sémitique. Ces croyances — qu'on les baptise du nom de totémisme ou zoolâtrie — qui rendent possible l'identification d'un être humain et d'un animal, saisies et analysées de l'extérieur, ont trompé pendant un certain temps des penseurs occidentaux tels que Lévy-Bruhl. C'est à la suite de leur étude généralisée que celui-ci affirma que le principe d'identité ne doit pas opérer chez les peuples dont les individus sont capables de se considérer à la fois comme des animaux et des êtres humains authentiques : ceux-ci seraient régis par une mentalité primitive, pré-logique, dont la différence avec celle de l'homme blanc adulte civilisé ne peut pas être comblée par des progrès intellectuels accomplis au cours d'une vie humaine. Il y aurait deux paliers distincts. L'auteur, avant de mourir, s'est rétracté et a pensé que le mot symbolisme serait plus juste pour caractériser ce type de mentalité.

En réalité, seule la connaissance de l'ontologie des peuples où règne la zoolâtrie aurait permis d'éviter de tomber dans ces erreurs. Dans une mentalité où l'essence des choses, l'ontologie par excellence, est la force vitale, la forme extérieure des êtres et des objets devient secondaire et ne peut plus constituer une barrière, soit pour additionner deux forces vitales, soit pour en identifier deux, parce qu'elles sont de quantités égales ou parce que les êtres qu'elles animent ont été amenés dans leur existence à passer un contrat social, une sorte de pacte de sang. Ainsi, si la beauté du plumage du perroquet ou du paon me séduit, se confond avec mon idéal esthétique, rien ne m'empêche de le choisir, pour ce seul trait particulier, comme mon totem. J'aurais pu aussi être tenté de choisir le lion, étant donnée sa force, ou le faucon, à cause de sa vigilance... Evidemment, tous ces choix qui, à l'origine se faisaient à l'échelle clanique, se traduisent par une identification d'essences qui n'est concevable que par une mentalité vitaliste, régie par une philosophie du type bantou. Et l'on voit que ce n'est pas un fait de hasard que chez les Nègres de l'Afrique Noire et les anciens Egyptiens

---

(1) Herodote : op. cit., Livre II, par. 124.

qui pratiquent tous totémisme ou zoolâtrie, le vitalisme soit à la base de la conception de l'univers. Tandis que dans le monde sémitique et aryen l'association d'un animal et d'un être humain, comme l'a remarqué André Aymard, n'aura qu'un caractère symbolique, dans le monde africain, la philosophie qui est à la base de la vie, permet d'identifier ces deux êtres sans être en contradiction avec le principe d'identité, sans que l'on puisse évoquer une mentalité pré-logique. On saisit l'embarras du chercheur qui aborde cette réalité de l'extérieur et qui n'est armé que de la logique conceptuelle, de la logique de la grammaire d'Aristote. Ici, la forme extérieure ne se confond pas avec l'essence du concept, elle n'est pas la réalité première, elle n'est peut-être pas illusoire, mais secondaire ; aucune classification sérieuse ne saurait partir d'elle. Le Pharaon et le faucon sont une seule et même essence, bien que jouissant de formes extérieures différentes ; la biche de Diane ou le coq gaulois ne sont que des symboles, sinon les Indo-Européens auraient connu le totémisme.

C'est dans le cadre d'une telle pensée que se situent logiquement les doctrines philosophiques telles que celle de la réincarnation ou métempsychose de Pythagore. Hérodote, au paragraphe 124 de son Livre II, relève, avec ironie, cette attribution de la doctrine à Pythagore. Il y dit qu'il connaît quelqu'un en Grèce qui en voulant se donner une réputation de savant et de philosophe s'attribue cette doctrine que les Égyptiens ont inventée, mais que, par discrétion, il ne veut pas le nommer.

La conception de l'au-delà, et celle des valeurs morales, sont les pendants naturels de la religion et de la philosophie. Dans ce domaine encore les conceptions méridionale et nordique sont irréductibles et portent, indéniablement, les empreintes des berceaux qui les ont vu naître.

Dans le berceau nomade où règne un état de guerre endémique par suite d'un manque de pouvoir central qui départage les tribus et les individus, la défense du groupe est le premier souci. Et toutes les valeurs morales seront afférentes à la guerre, contrairement à toute attente pour des gens relevant du berceau méridional. On ne peut entrer dans le paradis germanique, le Wahlhalla, que si on est un guerrier tombé sur le champ de bataille. Dans ce cas seulement, les Walkyries viennent ramasser sur le terrain le corps du combattant défunt et l'emmènent au paradis. Mais, là aussi, les dieux passent leur temps, pour se désennuyer, à combattre entre eux pendant le jour et à boire la nuit. Ils mourraient tous de faim si Frigga, la fille de Wotan, ne leur cultivait pas des pommes d'or dans son jardin. Du reste, les dieux sont mortels comme les hommes ; ils seront corrompus par la vie et ils mourront tous pour que renaisse un autre monde régénéré et pur. Telle est la pensée qui se dégage de la Tétralogie de Wagner et qui a été reprise dans un sens particulier par les nazis, mais qui n'est autre que celle contenue dans les *Nibelungen*

« *Ceux qui tombaient dans la mêlée ou qui mouraient de leurs blessures étaient admis au ciel, séjour des élus* (wahl-halle) *là résidaient les Walkyries et Fricka, femme d'Odin, qui recevaient les héros et leur présentaient la corne à boire. Les ombres y passaient le jour à la guerre, la nuit dans les festins, et le Germain ne souhaitait pas une plus digne récompense de sa valeur. D'ailleurs ces dieux, pas plus que le monde créé par eux, n'étaient immortels ; ils se laisseront corrompre, comme les hommes, par les mauvaises mœurs ; ils seront alors condamnés avec le monde et périront mais, de même que le jour succède à la nuit, ils renaîtront purifiés pour ne plus mourir. Les éléments de ces épopées primitives, se retrouvent, mélangées avec des traditions antiques et chrétiennes, dans les Eddas, recueils de traditions scandinaves composés en Islande du Xe au XIIIe siècle* » (1).

Un jeune Germain n'avait le droit de se raser la barbe qu'en l'humectant avec le sang d'un ennemi tué au combat. Le vol était un exercice honorable de risque et d'endurcissement dès qu'il était commis à l'extérieur de la tribu, d'après Tacite.

L'Olympe grec est identique au Wahlhalla germanique quant aux valeurs morales qui y règnent et aux occupations et sentiments des dieux. Zeus triomphera de l'ensemble des dieux par la violence dans une bataille rangée avec l'aide de Prométhée. Son âme est le siège d'intrigues indescriptibles, d'idées de crimes, de débordements coléreux. Il ne recule devant aucune injustice, aucun sentiment, si horrible soit-il, lui, le maître de l'Olympe, pour convoiter la femme d'un autre dieu.

La conception assyrienne de l'au-delà se rapproche beaucoup de celle des Aryens ; chez les Assyriens, en effet, c'est le soldat tombé au champ de bataille qui va au paradis. Leur cruauté est proverbiale : on a pensé — et non sans frayeur — que si leur art est si anatomique c'est grâce à la connaissance approfondie de la musculature humaine qu'ils ont acquise en écorchant vifs leurs prisonniers et surtout les chefs. Rien n'était plus banal chez eux que la mutilation d'un membre ou la crevaison d'un œil, ou le fauchage d'un nez ou d'une oreille.

---

(1) Ch. Bemont et G. Monod : op. cit., pp. 28 et 29.

Ainsi, pendant toute la période nomade et longtemps après la sédentarisation, la notion de justice semble inconnue chez les Aryens. Toutes les valeurs morales sont à l'opposé de celles du berceau méridional et ne s'adouciront qu'au contact de celui-ci. Le crime, la violence, la guerre et le goût du risque, tant de sentiments nés du climat et des premières conditions d'existence, prédisposaient le monde aryen, aussi extraordinaire que cela puisse paraître, à une grande destinée historique. Quand il se ruera, pour le conquérir, sur le berceau méridional, il trouvera celui-ci mal défendu, sans fortifications notables, car habitué à une longue coexistence pacifique. C'est après avoir subi ces premières invasions que les Égyptiens, en particulier, élevèrent des fortifications aux portes d'entrée du pays, comme le Sinaï. C'est à la suite de circonstances semblables que les Sidoniens fortifièrent leur ville qui n'en fut pas moins détruite au XIIᵉ siècle, pour faire place à Tyr.

Les Nubiens et les Égyptiens de l'Antiquité se trouvaient bien chez eux et n'avaient pas envie d'en sortir : ils n'étaient pas des conquérants, mais se distinguaient par leur esprit de justice et de piété. Lorsque la Reine Candace prit le commandement de ses armées, c'était pour défendre le sol national contre les troupes de César Auguste commandées par le général Pétrone. Elle n'en combattra pas moins avec une telle énergie que Strabon dira : « *elle eut un courage au-dessus de son sexe* ». L'Égypte n'est devenue une nation conquérante et impérialiste que par réaction, par auto-défense après l'occupation des Hyksos, sous le XVIIIᵉ dynastie ; en particulier avec Thoutmosis III qu'on appelle souvent le Napoléon de l'antiquité. Il conquit la Palestine et la Syrie et poussa la frontière de l'Égypte jusqu'au haut Euphrate à Kadesh. Il fallut dix-sept expéditions. A la huitième, il partit d'Égypte par mer et débarqua en Phénicie, se fit construire des bateaux à Byblos et les fit porter à travers le désert jusqu'à l'Euphrate qu'il traversa ainsi et défit les Mitanniens. La renommée de cette victoire lui assura la sujétion de ces grands guerriers qu'étaient les Assyriens, les Babyloniens et les Hittites qui, tous, lui payèrent tribut. Par conséquent, la domination égyptienne sous Thoutmosis III s'étend jusqu'aux contreforts de la chaîne élamite. Les Égyptiens pratiquèrent alors une sorte de politique d'assimilation qui consistait à prendre les jeunes princes héritiers des royaumes vaincus, à leur donner une éducation égyptienne et à les renvoyer chez eux pour qu'ils y fassent rayonner la civilisation égyptienne.

Les conquêtes de Chaka qu'on appelle aussi le Napoléon

de l'Afrique du Sud des temps modernes sont, à bien des égards, comparables à celles de Thoutmosis III (1).

L'esprit de conquête semble être entré en Afrique Occidentale sous la période islamique avec les conquérants religieux tels que El-Hadji Omar au xixe siècle.

Quant à l'attitude de Samory, elle est comparable à celle de Vercingétorix. Il s'agissait d'une résistance nationale.

C'est donc au contact du monde extérieur que l'Afrique Noire dans son ensemble va se mettre ardemment à l'école de la guerre pour y exceller, finalement, tant les adaptations sont faciles pour l'être humain, surtout quand elles sont dictées par la nécessité.

A la médiocrité des conditions de vie offertes par la nature, les Nordiques ont répondu par des conceptions religieuses médiocres, fortement empreintes de matérialisme. Ils n'avaient pour ainsi dire pas de raison de remercier cette nature hostile.

Il en est tout autrement pour le berceau méridional qui semble être la terre d'élection de l'idéalisme religieux. Les dieux égyptiens transcendent l'humanité par leurs vertus, leur générosité, leur esprit de justice. A la naissance de la nation, Osiris était déjà là, avec son esprit d'équité : dans l'au-delà, sur son trône divin, il préside le tribunal des morts ; sa justice absolue est symbolisée par la balance de Thot et Anubis qui pèsent les actions des défunts avant de les récompenser ou de les punir. C'est le même état d'esprit que l'on rencontre partout en Afrique Noire ; on peut à ce sujet invoquer le témoignage d'Ibn Batouta qui a visité le Soudan au xiiie siècle :

« *DE CE QUE J'AI VU DE BON DANS LA CONDUITE DES NOIRS*

Les actes d'injustice sont rares chez eux ; de tous les peuples, c'est celui qui est le moins porté à en commettre, et le Sultan (roi nègre), ne pardonne jamais à quiconque s'en rend coupable. De toute l'étendue du pays, il règne une sécurité parfaite ; on peut y demeurer et voyager sans craindre le vol ou la rapine. Ils ne confisquent pas les biens des hommes blancs qui meurent dans leur pays, quand même la valeur en serait immense, ils n'y touchent pas ; au contraire, ils préposent à l'héritage des curateurs choisis parmi les hommes blancs et il reste entre leurs mains jusqu'à ce que les ayants-droits viennent les réclamer » (2).

---

(1) Thomas Mofolo : *Chaka*, une épopée bantoue (Gallimard, 1940).
(2) Ibn Batouta : op. cit., p. 36.

L'ensemble de ces conceptions morales et la solidarité sociale qui en résulte donnent à l'Afrique Noire le triple caractère suivant sur lequel on peut méditer.

L'Afrique Noire est un des pays du monde où l'homme est le plus pauvre, c'est-à-dire, possède le moins à l'heure actuelle ; mais il est le seul pays du monde où la misère n'existe pas malgré cette pauvreté par suite de l'existence d'une solidarité de droit. Il est également le premier pays du monde où l'activité criminelle est la plus faible. Il serait intéressant de rapprocher les statistiques des crimes commis dans le reste du monde et celles — surtout les crimes crapuleux — commis réellement par des Africains authentiques en Afrique Noire (1).

LITTÉRATURE   L'accent sera mis sur ce qui différencie essentiellement la littérature grecque de celle de l'Égypte : le goût particulier qu'ont eu les Grecs à développer le genre tragique.

On peut essayer d'en trouver la raison en faisant abstraction de la stimulation des volontés créatrices des artistes par des moyens artificiels comme les attributions de prix aux Olympiades.

Les thèmes sont traités, toujours, par le truchement de l'action du destin, d'une fatalité aveugle qui tend systématiquement à perdre toute une race ou une lignée. Ils trahissent tous un sentiment de culpabilité à la fois originel et spécifique du berceau nordique. Qu'il s'agisse d'Œdipe, des Atrides avec Agamemnon, il y a toujours une faute, un crime commis par les ancêtres qui sera expié irrémédiablement par sa descendance qui, de ce fait et quoi qu'elle fasse, est entièrement condamnée par le sort. Eschyle essaie d'atténuer cet état de choses en s'évertuant à introduire la notion de justice qui permettrait de ne plus frapper la postérité innocente, de l'absoudre.

La conception sémitique est identique. Le péché originel a été commis par les ancêtres mêmes de la race humaine et toute l'humanité, condamnée désormais à gagner son pain à la sueur de son front, doit se racheter. Ce point de vue a été adopté et enseigné par les religions modernes telles que le christianisme et l'islam.

––––––––––

(1) Si on songe qu'aux U.S.A. d'après un rapport récent du F.B.I. un crime est commis toutes les quelques secondes, on saisit la nécessité d'encourager en Afrique noire les études sociologiques préventives.

Si un tel sentiment de culpabilité a envahi vraiment la conscience indo-européenne au degré où le laisse deviner la littérature, même de nos jours, il faut admettre qu'il existe une sorte d'incommensurabilité, entre la conscience nordique et la méridionale. Aucune notion, pour l'Africain, n'est aussi hermétique que le sentiment de culpabilité conçu de la sorte. On n'en trouve pas de trace dans la littérature égyptienne ancienne. Même pour l'Africain christianisé ou islamisé il reste un dogme mystérieux, qui n'est jamais vécu par la conscience.

Puisque la façon dont ce sentiment de culpabilité est introduit dans la littérature nordique est toujours artificielle, on pourrait se demander quels sont les vrais mobiles, spécifiques au berceau nordique, qui l'ont fait naître. Entre autres crimes pourrait-on invoquer, une fois de plus, la médiocre place faite à la femme dans la société aryenne ? La conscience nordique s'est-elle sentie coupable vis-à-vis d'elle ? Un érudit pourrait le démontrer sans difficulté en s'appuyant sur l'analyse du théâtre tragique de l'antiquité. Les thèmes traités ne reflètent souvent que cet aspect. Œdipe, les Suppliantes d'Eschyle, etc... Pour cette dernière pièce, il importe de remarquer que la légende sur laquelle s'appuie Eschyle — celle des Danaïdes — est d'origine grecque. Mais une partie des scènes relatées se passe en Égypte, et on en déduit à tort que le légende est égyptienne (1).

Quoi qu'il en soit, il est remarquable que les Égyptiens n'aient pas créé un théâtre tragique. On peut supposer que leur structure sociale, le ton de la vie et leur psychisme n'étaient pas favorables à une telle activité culturelle.

« Naissance de la tragédie ou Hellenisme et pessimisme » de Nietzsche

On peut dire que la tragédie, sous sa forme classique, celle sous laquelle elle nous a été transmise, est le genre littéraire typiquement grec — pour ne pas dire aryen. S'il est aisé de déceler, à l'origine de toutes les traditions, une littérature dramatique embryonnaire (Mystères d'Osiris) ce n'est que chez les Grecs qu'on rencontre un terrain moral propice à l'exaltation du genre et à son élévation au niveau d'un classicisme ; le contenu de la conscience du Grec était et est resté la matière naturelle

_____

(1) Eschyle, Tome I, Texte établi et traduit par Paul Mazon (Société d'Édition « Les Belles Lettres », 1953).

de toute tragédie. Il faut songer à la place prépondérante qu'y occupait le sentiment vivace du crime, qui par réaction sociale s'exprime souvent par l'horreur du meurtre, la notion de culpabilité qui lui est corollaire, le retentissement dans la conscience masculine du rapport inharmonieux, injuste, des sexes, par suite de la contrainte sociale de la femme, il faut songer à tous ces faits pour comprendre que la Grèce était la terre d'élection de la tragédie. L'une des originalités de Nietzsche a consisté dans une large mesure à poser le problème.

« *Il nous faut maintenant faire appel à tous les principes esthétiques exposés jusqu'ici pour pouvoir nous diriger dans ce labyrinthe qu'est véritablement l'origine de la tragédie grecque. Je ne crois pas dire une absurdité en prétendant que ce problème n'a pas encore été sérieusement posé, et par conséquent moins encore résolu, si nombreuses qu'aient été déjà les spéculations tentées à l'aide des lambeaux flottants de la tradition antique si souvent lacérés ou recousus l'un à l'autre.*

Cette tradition déclare, de la façon la plus formelle que la tragédie est sortie du chœur tragique, et n'était à son origine que chœur et rien que chœur (1).

D'après Nietzsche il a fallu, pour donner naissance à la tragédie, la synthèse d'un élément dionysiaque musical et d'un élément apollonien plastique et intelligible, rationnel. Pour démontrer cette thèse il est amené à donner une signification particulière au Satyre du théâtre grec : il y voit une entité naturelle imaginaire opposable à l'homme civilisé engrené dans une sorte de carapace politico-sociale desséchante qui l'empêche de réaliser cette identification primordiale avec la Nature, que chante le chœur du Satyre ; tout au moins, c'est en subissant l'effet de sa musique dyonisienne, en se laissant annihiler par elle, qu'on peut atteindre cet état d'extase qui permet de saisir la vie dans son unité primordiale.

« *Je crois que l'homme civilisé grec se sentait ainsi annihilé en présence du chœur des satyres, et c'est l'effet le plus immédiat de la tragédie dyonisienne que les institutions politiques et la société, en un mot les abîmes qui séparent les hommes les uns des autres, disparaissent devant un sentiment irrésistible qui les ramène à l'état d'identification primordiale de la nature. La consolation*

---

(1) Nietzsche : Naissance de la tragédie ou Héllénisme et pessimisme. Traduit par Jean Marnold et Jacques Morland. (Éd. Mercure de France, 1947), p. 67.

métaphysique que nous laisse, comme je l'ai déjà dit, toute vraie
tragédie, la pensée que la vie, au fond des choses, en dépit de la
variabilité des apparences, reste imperturbablement puissante et
pleine de joie, cette consolation apparaît avec une évidence maté-
rielle, sous la figure du chœur de satyres, du chœur d'entités natu-
relles, dont la vie subsiste d'une manière quasi indélébile derrière
toute civilisation, et qui malgré les métamorphoses des générations
et les vicissitudes de l'histoire des peuples, restent éternellement
immuables.

Aux accents de ce chœur est réconfortée l'âme profonde de
l'Hellène, si incomparablement apte à ressentir la plus légère ou
la plus cruelle souffrance : il avait contemplé d'un œil pénétrant
les épouvantables cataclysmes de ce que l'on nomme l'histoire uni-
verselle et reconnu la cruauté de la nature ; il se trouvait alors ex-
posé au danger d'aspirer à l'anéantissement boudhique de la vo-
lonté. L'art le sauve et par l'art, — la vie le reconquiert (1). »

Malheureusement, l'ivresse extatique de l'état dionysiaque
cesse avec la musique et la réalité de la vie quotidienne réappa-
raît dans toute sa nudité avec tout ce qu'elle a de décevant et
de cruel ; cependant que cette vision brève de la « vérité pure »
suffit à annihiler la volonté et rend quasi absurde l'activité
humaine.

« En ce sens, l'homme dionysien est semblable à Hamlet : tous
deux ont plongé dans l'essence des choses un regard décidé ; ils
ont vu, et ils sont dégoûtés de l'action parce que leur activité ne
peut rien changer à l'éternelle essence des choses ; il leur paraît
ridicule ou honteux que ce soit leur affaire de remettre d'aplomb
un monde disloqué. La connaissance tue l'action il faut à celle-ci
le mirage de l'illusion — c'est là ce que nous enseigne Hamlet ;
ce n'est pas cette sagesse à bon compte de Hans le rêveur, qui,
par trop de réflexion, et comme par un superflu de possibilités
ne peut plus en arriver à agir ; ce n'est pas la réflexion, non !
— c'est la vraie connaissance, la vision de l'horrible vérité, qui
anéantit toute impulsion, tout motif d'agir, chez Hamlet aussi bien
que chez l'homme dionysien.

Alors aucune consolation ne peut plus prévaloir, le désir s'élance
par dessus tout un monde vers la mort, et méprise les dieux eux-
mêmes ; l'existence est reniée, et avec elle le reflet trompeur de son
image dans le monde des dieux ou dans un immortel au-delà.
Sous l'influence de la vérité contemplée, l'homme ne perçoit plus

---

(1) Nietzsche : op. cit., p. 74.

maintenant de toutes parts que l'horrible et l'absurde de l'exis-
tence ; il comprend maintenant ce qu'il y a de symbolique dans le
sort d'Ophélie ; maintenant il reconnaît la sagesse de Silène, le
Dieu des forêts : le dégoût lui monte à la gorge et, en ce péril immi-
nent de la volonté l'art s'avance alors comme un Dieu sauveur appor-
tant le baume secourable : lui seul a le pouvoir de transmuer ce
dégoût de ce qu'il y a d'horrible et d'absurde dans l'existence en
images idéales, à l'aide desquelles la vie est rendue possible. Ces
images sont le sublîme, où l'art dompte et assujettit l'horrible, et
le comique où l'art nous délivre du dégoût de l'absurde. Le chœur
de satyres du dithyrambe fut le salut de l'art grec ; les accès de
désespoir évoqués tout à l'heure s'évanouirent grâce au monde in-
termédiaire de ces compagnons de Dionysos (1). »

Pour l'auteur, le satyre, comme le berger des idylles modernes, symbolise une aspiration vers l'état primitif originel : il
représente la nature encore indemne de toute atteinte à la connaissance, non encore violée par aucune civilisation. Aussi, aux
yeux des Grecs, était-il tout le contraire d'un pantin :

« Le satyre... symbolise la toute puissance sexuelle de la nature
que le Grec avait appris à considérer avec une stupéfaction crain-
tive et respectueuse (2). »

Nietzsche, jusqu'ici, n'a fait que souligner l'effet de la tragédie, c'est-à-dire, de la musique dionysienne, par des moyens
plastiques apolloniens, sur l'âme du Grec civilisé. Après avoir
insisté sur cet effet salutaire, il pénètre plus profondément dans
le contenu du drame pour dégager les sentiments qui sont à la
base, qui lui servent de support. Ils sont ceux-là mêmes indiqués
ci-dessus : sentiment du crime, de culpabilité, du péché originel
et puis, bien que moins nettement exprimé, un terrible sentiment
de gêne à l'égard de la femme dont on a fait le bouc émissaire
de la société aryenne. Tous ces sentiments sont spécifiquement
indo-aryens et sémitiques ; Nietzsche les revendique pour ces
deux races, à des degrés différents, pour rendre compte des
idées pessimistes qui sont à la base de leur conception de l'Univers et de la civilisation. C'est dans l'analyse du mythe de Prométhée qu'il trouve les arguments lui permettant d'étayer ce
point de vue :

---

(1) Nietzsche : op. cit., p. 75.
(2) Id., op. cit., p. 76.

« *La légende de Prométhée est une propriété originelle de la race aryenne tout entière et un document qui témoigne de sa faculté pour le profond et le tragique ; et même il pourrait n'être pas invraisemblable que ce mythe eut pour la nature aryenne précisément la même signification caractéristique que la légende de la chute de l'homme pour la race sémitique, et qu'il existât entre ces deux mythes un degré de parenté semblable à celui d'un frère et d'une sœur. L'origine de ce mythe de Prométhée est la valeur inestimable qu'une humanité naïve accorde au feu... Mais que l'homme pût disposer librement du feu, qu'il ne le reçut pas comme un présent du ciel, éclair, rayon, cela paraissait à l'âme primitive un sacrilège, un vol fait à la nature divine. Ce que l'humanité pouvait acquérir de plus précieux et de plus haut, elle l'obtient par un crime, et il lui faut en accepter désormais les conséquences c'est-à-dire tout le torrent de maux et de tourments dont les immortels courroucés doivent affliger la race humaine dans sa noble ascension. C'est là une âpre pensée qui, par la dignité qu'elle confère au crime, contraste étrangement avec le mythe sémitique de la chute de l'homme, où la curiosité, le mensonge, la convoitise, bref un cortège de sentiments plus spécialement féminins sont regardés comme l'origine du mal. Ce qui distingue la conception aryenne, c'est l'idée sublime du péché efficace considéré comme la véritable vertu prométhéenne ; et ceci nous livre en même temps le fondement éthique de la tragédie pessimiste : la justification de la souffrance humaine, justification non seulement de la faute de l'homme, mais aussi des maux qui en sont la conséquence* (1). »

À l'origine la tragédie était donc entièrement la mise en scène de la souffrance humaine, quelle qu'en soit la cause ; Nietzsche est formel : le héros primitif de toute la tragédie grecque est Dionysos, les héros postérieurs ne sont que ses masques, ses transfigurations. De même l'élément tragique dionysien du drame ira s'amenuisant à partir de ce début : l'individualisation des types généraux, le raffinement de l'étude psychologique des caractères avec Sophocle, la contrefaçon du mythe avec Euripide, en somme l'avènement du *Deus ex machina*, achevèrent de tuer la tragédie antique.

« *C'est une indiscutable tradition que la tragédie grecque, dans sa forme la plus ancienne, avait pour unique objet les souffrances de Dionysos et que, pendant la plus longue période de son*

---

(1) Nietzsche : op. cit., pp. 92 et 93.

existence, le seul héros de la scène fut précisément Dionysos. Mais on peut assurer avec une égale certitude qu'avant et jusqu'à Euripide, Dionysos n'a jamais cessé d'être le héros tragique, et que tous les personnages célèbres du théâtre grec, Prométhée, Œdipe, etc... sont seulement des masques du héros originel, Dionysos. Que, derrière ces masques un Dieu se cache, telle est la cause essentielle de l'idéalité typique si souvent admirée de ces glorieuses figures... »

« On possède ainsi tous les éléments d'une idée du monde pessimiste et profonde et en même temps aussi l'enseignement des mystères de la tragédie.

« Quel était donc ton but, sacrilège Euripide, lorsque tu tentas d'asservir encore cet agonisant ? Il périt entre tes mains brutales et tu eus recours alors à un masque, une contrefaçon du mythe......

« Nous reconnaissons d'autre part, l'action de cet esprit antidionysien ennemi du mythe, à l'importance croissante des raffinements psychologiques et de la peinture des caractères dans la tragédie de Sophocle. Le caractère ne doit plus se laisser généraliser, amplifier en un type éternel, il doit au contraire agir individuellement par des traits accessoires et des nuances artificielles, par la plus minutieuse précision de toutes les lignes, en sorte que le spectateur ne reçoive plus l'impression du mythe, mais bien celle d'une vérité naturelle frappante et de la puissance d'imitation de l'artiste ....

« Mais c'est dans le dénouement des drames que se manifeste le plus nettement le nouvel esprit antidionysien. La fin de l'antique tragédie évoquait la consolation métaphysique hors laquelle le goût de la tragédie reste inexplicable ; ces harmonies de paix émanées d'un autre monde, c'est peut-être d'un Œdipe à Colonne qu'elles résonnent le plus purement. Maintenant le génie de la musique a abandonné la tragédie, et celle-ci est morte, au sens strict du mot : car d'où puiser désormais ce réconfort métaphysique ? Aussi à la dissonance tragique, on chercha une convenable résolution terrestre ; le héros après avoir été suffisamment torturé par le sort, obtenait par un beau mariage, par des hommages divins, une récompense bien méritée. Le héros était devenu un gladiateur auquel après qu'il était congrûment écorché et couvert de blessures, on accordait éventuellement la liberté. Le «Deus ex machina » a remplacé la consolation métaphysique » (1).

L'explication de la naissance de la tragédie par Nietzsche reste, malgré tout, insuffisante ; le lecteur éprouve beaucoup de diffi-

---

(1) Nietzsche : op. cit., pp. 96, 98, 100, 158 à 160.

cultés à hiérarchiser le rôle de la musique et de la souffrance dans la conception de l'auteur. Est-ce la musique pure, avec ses effets divins, wagnériens sur l'âme, ou est-ce la souffrance humaine dont la musique n'est que l'expression particulière, tragique, qui est l'élément fondamental ? L'auteur semblerait préférer la première hypothèse, alors que la seconde semble plus défendable. La délicatesse et la nuance de sa pensée ne permettent pas de confondre son point de vue avec celui du comte de Gobineau sur la naissance de l'art en général. Ce dernier affirme sans ambiguïté que partout où il existe un art valable, il est le résultat d'une synthèse de deux facteurs complémentaires : l'un, d'origine nègre et relevant de la sensibilité, côté inférieur de l'être humain, l'autre, d'origine aryenne et relevant de la raison, du cérébral, côté supérieur de l'être humain. Il est tentant d'identifier ce double aspect aux facteurs dionysiaque et apollonien de Nietzsche. Et, s'il en est ainsi, le livre de Nietzsche aurait pu être intitulé, non pas « La naissance de la tragédie », ce qui est restrictif, mais « La naissance de l'art ».

Il semble plus satisfaisant de considérer la tragédie comme la mise en scène des idées les plus angoissantes, du destin d'un peuple, par un ressortissant privilégié, c'est-à-dire, un artiste national dont l'âme a pu servir de réceptacle à toute l'émotivité collective. Dans ce cas, la musique ou plus exactement la musicalité de l'expression dramatique n'est que le reflet d'une réalité profondément vécue et transposée sur la scène.

On pourrait donc tenter une autre explication à partir de cette hypothèse, en procédant chronologiquement.

Une première idée semble anormale. Pourquoi les Grecs ont-ils choisi, non pas un mythe indigène, mais le mythe étranger de Dionysos ; car Dionysos est bien un Dieu étranger, facilement indentifiable à Osiris, que l'on parte de la tradition grecque ou de celle de l'Égypte. Nietzsche, lui-même, remarque que, d'après la légende, Dionysos était coupé en morceaux et dispersé par les Titans à son enfance ; sa mère, Déméter, était alors plongée dans le deuil et ne sera soulagée que lorsqu'elle apprend qu'elle pourra de nouveau enfanter un Dionysos : le Dieu renaîtra. Lorsqu'il fut coupé en morceaux, on l'adorait sous le nom de Zagreus. On reconnaît ici aisément, dans cette légende « grecque », le mythe de la mort et de la résurrection d'Osiris, coupé en morceaux et dispersé par son frère Seth ; ce dernier personnifiant le Dieu du Mal, de la stérilité, et de la jalousie. De même Osiris renaîtra. D'après Hérodote les Égyptiens identifient Osiris et Dionysos.

« *...car tous les Egyptiens sans distinction ne rendent pas un culte aux mêmes dieux, si ce n'est à Isis et à Osiris, qui, disent-ils, serait Dionysos* » (1).

Le « père de l'histoire » est convaincu de l'origine étrangère du Dieu, car tous ses attributs contrastent avec les mœurs et coutumes des Grecs. Il est une figure d'adoption. Comment est-il arrivé sur le sol national ? Hérodote nous le dit.

« *Cela me donne à penser que Mélampous fils d'Amythaon n'ignora point le sacrifice dont je viens de parler, mais qu'il en fut bien instruit. C'est en effet Mélampous qui fit connaître aux Grecs la personne de Dionysos, le sacrifice qu'on lui offre, la procession du phallus. Pour être exact, il ne leur a pas enseigné à la fois tout cela ; les sages qui sont venus après lui ont développé ses leçons ; mais, quant à la procession du phallus en l'honneur de Dionysos, c'est Mélampous qui l'a introduite, et c'est de lui que les Grecs ont appris à faire ce qu'ils y font. Je dis donc qu'en homme avisé Mélampous, qui se rendit maître de l'art divinatoire, apprit des Egyptiens pour les importer chez les Grecs, en s'écartant sur peu de points de ses modèles, beaucoup de choses, et entre autres ce qui touche Dionysos. Car je n'admets pas qu'entre le culte rendu à ce dieu en Egypte et celui qu'on lui rend chez les Grecs la ressemblance soit fortuite : à ce compte, ce culte devrait être en harmonie avec les mœurs des Grecs et l'introduction n'en serait pas récente. Je n'admets pas non plus que les Egyptiens aient emprunté aux Grecs ces rites, pas plus qu'aucune autre coutume* » (1).

On voit ainsi comment Dionysos, dieu national égyptien, a été introduit tardivement en Grèce et dans le reste de la Méditerranée septentrionale. Il a probablement emprunté une voie terrestre ce qui expliquerait les nombreuses inscriptions relatives à son culte qu'on trouve dans la Thrace, et auxquelles Grenier fait allusion. Mais aucun fait, aucune autre tradition ne permettrait de situer son origine en Thrace ou en Asie. Il faut maintenant examiner ses attributs qui contrastent si nettement avec les mœurs grecques et aryennes en général. Ils expliquent à la fois l'enthousiasme indescriptible avec lequel les femmes l'ont accueilli et la résistance, la lutte sans merci que lui ont livrée les hommes en Méditerranée aryenne.

---

(1) Herodote : Livre II, par. 42, op. cit.
(2) Herodote : op. cit., vol. II, par. 49.

Les Indo-Européens ont éprouvé beaucoup de peine à rapporter clairement et fidèlement le mythe de Dionysos, sans le transformer en le rendant grossier, immoral, lubrique, etc... alors que l'esprit, l'essence de Dionysos « chevauchant sa panthère » est l'opposé de la luxure. Comme l'a montré Turel, Dionysos n'est pas le Dieu de l'anarchie dans la vie domestique, l'union conjugale est sacrée pour lui, ainsi que la fidélité des époux, mais il est l'ennemi de la contrainte physique, de tout ce qui est anti-naturel ; il est pour l'épanouissement des êtres et, en particulier, pour celui de la femme. Il est le dieu dont tout l'enseignement contenait les aspirations secrètes de la femme aryenne si contrainte et étouffée par la société. Il est le dieu de la liberté individuelle, de la dualité des sexes dans l'ordre. Le présenter sous forme d'un Bacchus, dieu du vin, toujours ivre et en quête de plaisirs lubriques sans mesure, est pour ainsi dire un sacrilège. Dionysos n'est autre que le symbole du couple harmonieux d'Isis et d'Osiris ; c'est l'exportation en pays aryen de l'idéal social, domestique, conjugal, méridional. Dès lors le mythe jette sur la réalité une lumière crue ; l'enthousiasme des femmes autant que la résistance des hommes s'expliquent : en Grèce, comme à Rome, les femmes mariées ou non qui pratiquaient le culte de Dionysos étaient condamnées à mort par leur tuteur. On assiste ici à un aspect dramatique de la lutte des valeurs méridionales et aryennes pour s'emparer de la conscience humaine. Le degré d'une civilisation se mesure par les rapports entre l'homme et la femme. Dionysos est le libérateur de la femme aryenne : il répand son enseignement en Grèce au moment où l'on pouvait voir dans ce pays deux frères épouser la même femme pour s'assurer la seule chose qui comptait dans le monde aryen, une descendance.

Ceux d'entre les sociologues modernes qui assimilent, peut-être inconsciemment, progrès technique et morale, ne peuvent pas éviter dans les conclusions de leurs enquêtes en pays méridionaux, même actuellement, de déformer cet avantage moral des sociétés agricoles matriarcales, en expliquant la place qu'y occupe la femme par le règne d'un instinct primitif solidement enraciné encore dans la matérialité grossière de la terre, — déesse dionysienne fécondable comme Isis — par opposition à la spiritualité des régions éthérées où règne sans conteste Apollon, le Dieu de la rationalité pure qui se passe de femme pour engendrer Héra, sa fille.

D'autres sociologues, par contre, restaurent à cet ensemble de croyances leur signification authentique.

« *Les mystères* (de Dionysos = Bacchus) *qui avaient déposé beaucoup de l'emportement ancien étaient un culte de la fécondité naturelle, de la génération et de la vie. Mais il ne s'agissait plus seulement de la vie terrestre ;* ...... » (1).

Certes, au moment de l'initiation, entre autres pratiques, liées à la vie agricole et au culte de la fécondité, « *on découvre le phallus caché sous une étoffe ; on le fait tomber, avec d'autres symboles, sur le récipiendaire incliné. L'effet de ces cérémonies était, en assimilant le bacchant à son dieu, de lui assurer la béatitude éternelle* » (2).

Pour Grenier, citant Cumont, les mystères de Bacchus qui se pratiquaient ainsi à Rome étaient d'origine égypto-asiatique. Le matériel liturgique de ce culte est un ensemble de symboles de la fécondité, ce qui est à l'opposé de représentations pornographiques ; ce sont les éléments d'une religion agraire. Les processions, lors des fêtes de Dionysos en Égypte, telles que les décrit Hérodote, s'appliquent jusque dans leur moindre détail aux processions qui accompagnent, le 25 décembre, les fanaux au Sénégal : il s'agit d'une procession célébrant la naissance du Christ, mais ce n'est vraisemblablement pas l'Occident chrétien qui a introduit en Afrique ces particularités rituelles, à moins que les « carnavals » méridionaux de l'Europe n'aient eu ce caractère, ce qu'il faudrait vérifier. Il est donc probable qu'il y a là une juxtaposition de deux bribes de traditions d'origine apparemment différentes, mais toutes deux sacrées, quant au fond. Il paraît indispensable de reproduire le passage d'Hérodote auquel il est fait allusion pour fixer les idées et faciliter la recherche.

« *Quant au reste, la fête de Dionysos est célébrée par les Egyptiens tout à fait, ou peu s'en faut, de la même façon que chez les Grecs, à cela près qu'il n'y a pas de chœurs. Mais, au lieu de phallus, ils ont imaginé autre chose : des statuettes articulées, d'une coudée environ, que l'on fait mouvoir avec des cordes, et dont le membre viril, lequel n'est guère moins long que le reste du corps, s'agite ; les femmes promènent ces statuettes dans les bourgs ; un joueur de flûte va devant ; elles, suivent en chantant Dionysos. Pourquoi ces statuettes ont-elles un membre disproportionné et ne*

(1) Grenier : op. cit., p. 204.
(2) Id., op. cit., p. 204.

remuent-elles que cette partie du corps, il y a là dessus une légende sacrée qui se raconte » (1).

Maintenant que l'essence morale du dieu est suffisamment dégagée, en même temps que les conceptions domestiques méridionales et aryennes, on voit mieux les catastrophes et les bouleversements que l'enseignement de Dionysos devait produire dans les sociétés indo-européennes : il devait briser la cuirasse d'airain dont l'homme aryen avait entouré celles-ci, ouvrir les vannes de la conscience féminine, porter l'exaltation et l'espoir de la femme à son plus haut degré et poser à la conscience de l'homme aryen le plus grave problème qu'il ait jamais eu à résoudre. La vie dans les steppes eurasiatiques, dans les conditions du nomadisme — on l'a vu — l'avait habitué à voir en la femme moins une compagne dans la société, qu'un instrument permettant d'assurer sa descendance, de s'acquitter d'une dette vis-à-vis des ancêtres en prolongeant la lignée raciale, en ne la laissant pas s'éteindre à partir de soi, en s'assurant ainsi l'immortalité. Ici les conditions économiques sont essentiellement en cause : elles avaient imposé ce style de vie et la superstructure religieuse et morale qui lui est afférente. Mais l'homme est installé maintenant dans la vie sédentaire ; il va sans dire que la plupart des idées héritées de la vie nomade sont devenues inadéquates, en particulier les idées sociales, si l'on peut dire. Le drame vient du fait des habitudes acquises : on ne nettoie pas la conscience par un coup d'éponge. Les seules idées qui conviennent à son nouveau style de vie seront des idées étrangères élaborées parallèlement dans le monde méridional agricole, sédentaire. Leur choc sur sa conscience produira le bouleversement le plus terrible qu'il ait jamais éprouvé. Ce ne sont pas là des vues de l'esprit ou des spéculations gratuites. On a vu que dans la réalité de la vie quotidienne, à Rome comme en Grèce, ce choc a engendré une réaction d'autodéfense allant jusqu'au meurtre chez les hommes, car il est impossible de surestimer le nombre de femmes condamnées effectivement à mort par le simple fait qu'elles étaient devenues des disciples de Dionysos. Mais une attitude pratique, provisoirement efficace, ne suffit pas à résoudre un problème de morale sociale aussi profond, aussi délicat. Celui-ci devait donc, fatalement, être reposé et repensé sur le plan supérieur de l'art et de la philosophie ; à ce niveau seulement où la sérénité de l'esprit est mieux garantie, on peut tenter de trouver une solu-

---

(1) Herodote : op. cit., Livre II, par. 48.

tion à caractère permanent, et à défaut, poser d'une façon plus ou moins voilée, le problème sans le résoudre. Une telle transposition de la réalité est le propre de l'art et l'on comprend que la tragédie grecque ait trouvé son sujet de prédilection dans le mythe, pourtant étranger, de Dionysos. Par son double caractère, il convenait mieux que les mythes indigènes. Dionysos, ou Osiris, est le Dieu qui a souffert physiquement parlant, dans la mesure où il a été coupé en morceaux. Les Égyptiens n'ont mis en scène que cet aspect de la souffrance physique d'Osiris, reflétée dans la souffrance morale d'Isis. Comme Nietzsche l'a souligné, Dionysos est un prototype : il sera le masque divin qui couvrira toutes les formes de souffrance de la conscience humaine chez les Grecs : Prométhée, Œdipe, etc... ne sont que ses répliques. Mais il est impossible de mettre Dionysos en scène sans transposer sur celle-ci, consciemment ou inconsciemment, le conflit social engendré par l'irruption du dieu dans le monde aryen. C'est cet aspect du problème qui transparaît dans les chœurs de satyres. Le rôle des satyres symbolise une situation sociale, un problème que les Grecs semblent avoir redouté de poser correctement, convenablement ; ils ont été ainsi amenés à le déformer, à l'enlaidir, au point qu'il devienne méconnaissable au premier abord, en travestissant le rôle des satyres. Le satyre est une création grecque, surajoutée au mythe égyptien d'Osiris, de Dionysos.

Comme le souligne Nietzsche le caractère fondamental du mythe ira s'estompant dans le théâtre ultérieur de la Grèce : il sera à peine décelable dans la permanence des sujets traités, les tragédies portant presque uniquement pour titres des noms de femmes. Euripide qui, du reste, a repris à peu près les mêmes sujets qu'Eschyle et Sophocle, a écrit *Hélène, les Phéniciennes, les Troyennes, Iphigénie en Tauride, Electre.* Même lorsque, apparemment, comme dans *Œdipe,* le titre est un nom masculin, le contenu varie peu et on est ramené, par un biais quelconque, au même problème.

L'analyse du mythe de Prométhée a conduit Nietzsche à faire de la criminalité efficace un élément constitutif de la conscience aryenne (1). En approfondissant le mythe du forgeron en Afrique Noire et dans l'ancienne Égypte, on aboutit facilement à un héros équivalent au Prométhée voleur de feu et bienfaiteur de

---

(1) Qu'on se souvienne des combats de gladiateurs qui constituaient des jeux nationaux. Des « chrétiens » enduits de poix dont les chairs transformées en torches allumées illuminaient les jardins de Néron ; tant de crimes commis à l'apogée même de la civilisation romaine.

l'humanité de par les nouvelles techniques qu'il apporte. Ici aussi la notion de crime n'est pas absente, mais elle est atténuée et ramenée plutôt au niveau d'une faute grave, une sorte d'indiscrétion commise à l'égard des dieux. Ses conséquences ne seront fatales qu'à la lignée de celui qui l'a commise, elles seront circonscrites ; il n'en résultera nullement un sentiment de culpabilité permanent pesant sur l'ensemble de l'humanité et obligeant celle-ci à se créer un univers pessimiste. L'Univers du monde méridional est optimiste. Osiris n'a aucun sentiment de culpabilité, ni sa descendance Horus, ni sa femme Isis. Seth, le criminel, tout au plus pourrait l'avoir : c'est lui qui personnifie le mal, lui seul à l'exclusion de tout le reste de l'humanité bien pensante en subira les conséquences.

Le sentiment de culpabilité aryen rejoint le péché sémitique engendré par la « faute d'une femme » et certains exégètes y voient le résultat de la connaissance : connaissance = conscience du bien et du mal. La pomme qu'Eve a fait manger à Adam ne symboliserait que cela. A ce titre c'est en réalité par sa connaissance que Prométhée est devenu un pêcheur, un criminel. Nietzsche ne fait pas ce rapprochement car il faudrait, pour lui, que la connaissance, la contemplation décidée de la vérité pure conduise à l'inactivité, s'il n'y avait pas le secours de la magie de l'art.

Ici également l'explication de la criminalité aryenne, du péché sémitique, ne résiste pas à la comparaison et à l'analyse. On ne peut pas nier que les Égyptiens anciens aient acquis la connaissance au degré exigé dans les exégèses précédentes. Ils devraient donc, en conséquence, acquérir le même sentiment de culpabilité, contracter la même notion de péché étendu à toute l'espèce humaine, si tel devait être le ccrollaire fatal dans la conscience humaine de l'acquisition de la connaissance. Il en fut tout autrement et l'univers mental égyptien — et méridional, en général — est bien optimiste, et d'un optimisme conscient et raisonné. Il serait inexact de dire ou de soutenir que les Dogons de la Falaise de Bandiagara disposent d'un système philosophique dans la mesure où l'on entend, par cette expression, un système de pensée spéculative consciente d'elle-même ; mais il n'est pas exagéré d'admettre qu'ils ont une cosmogonie cohérente expliquant d'une façon satisfaisante pour leur conscience tous les aspects de l'Univers, comme l'a montré Marcel Griaule, dans « Dieu d'Eau ». Chez eux, l'ancêtre primitif avait volé aussi le secret des dieux ; une faute a été commise dès l'origine dans la procréation, mais c'était plutôt un défaut constaté chez les êtres créés par les dieux après une certaine

expérience, et il a été aussitôt corrigé, résorbé, au lieu de constituer jusqu'à la fin des temps le sentiment d'on ne sait quelle
faute imméritée, irrationnelle qu'on doit expier toute sa vie.

Par conséquent c'est en se référant aux berceaux respectifs
des Aryens et des Méridionaux que l'on pourra comprendre
cette divergence dans le contenu de la conscience humaine qui,
apparemment, devrait être une, uniforme. On a vu déjà qu'en
passant du Midi au Septentrion, la géographie et le climat, les
conditions d'existence, inversaient effectivement les valeurs morales qui deviennent opposables comme les pôles : tout défaut
ici est une vertu là-bas. C'est en se remémorant les critères de
la morale guerrière nordique et en particulier germanique aryenne, morale nécessitée par les conditions de vie, que l'on peut
comprendre la formation lente au contact d'influences extérieures antagonistes d'un sentiment de malaise moral aboutis-
sant à la notion de culpabilité chez les uns, ou de péché chez les
autres, tous sentiments spécifiquement nordiques bien que col-
lectifs.

Nietzsche a donc bien raison de faire de la criminalité et du
péché un élément constitutif de la conscience aryenne... La
légère nuance qu'il introduit entre les replis de conscience
aryenne et sémitique paraît valable ; mais elle montre que les
Sémites sont des Indo-Européens quant au fond, qu'ils ont
servi de coussin, de tampon entre les deux berceaux comme
les Slaves entre le monde aryen et l'Extrême-Orient. Dans les
deux cas il y a un bouleversement plus ou moins profond des
traits normaux et physiques originels.

La tragédie est donc spécifiquement une création de la conscience aryenne qui est la seule, peut-être au monde, à contenir
à l'origine les éléments indispensables à son enfantement.

CHAPITRE VI

La comparaison de l'Afrique Noire actuelle
et de l'Égypte antique est-elle historique ?

Fustel de Coulanges a montré qu'une des principales causes d'erreur de l'historien consiste à s'imaginer spontanément le passé d'après le présent. Les comparaisons précédentes établies entre l'Afrique et l'Égypte ancienne ne paraîtront donc objectives, scientifiques que dans la mesure où l'on peut montrer qu'on a su éviter cette tendance et qu'on s'est suffisamment entouré de garanties. Il s'agit, dans une brève analyse, de montrer que le système de castes qui régit la société africaine conserve les structures et s'oppose aux bouleversements internes, et qu'il permet aujourd'hui de rapprocher, sur de nombreux points, des faits africains et égyptiens. Du reste il a été prouvé dans *l'Afrique Noire précoloniale* que les faits africains en question remontaient d'une façon certaine au moins au premier millénaire.

Il est indispensable d'insister, au départ, sur la spécificité du système de castes. Son originalité réside dans le fait que les éléments dynamiques de la société, dont le mécontentement aurait pu engendrer des transformations, se satisfont de leur condition sociale et ne cherchent pas à la changer : un homme, dit de caste inférieure, refuserait catégoriquement d'entrer dans une caste dite supérieure si les intérêts matériels seuls étaient en jeu ; contrairement au prolétaire qui prendrait volontiers la place du patron. La société est divisée en esclaves et hommes libres. Au Sénégal, les hommes libres sont les gor, composés de gér et de néno.

Les gér comprennent la noblesse et tous les hommes libres sans profession manuelle autre que l'agriculture, considérée comme sacrée.

171

Les ñéño comprennent tous les artisans : cordonniers, forgerons, orfèvres, etc... Ces professions sont héréditaires. Les djam (esclaves) se répartissent en trois catégories : les djam bour, qui sont les esclaves du roi, les djam neguday qui sont les esclaves de la famille ou de la patrie de la mère, les djam neg bây, qui sont les esclaves de la famille ou de la patrie du père.

Les gér forment la caste dite « supérieure ». Ils ne peuvent pas exploiter matériellement les ressortissants des castes inférieures sans déchoir aux yeux du peuple ; ils sont, au contraire, tenus de les assister à tous points de vue : même s'ils sont moins riches, ils doivent se dépouiller si un homme de caste « inférieure » s'adresse à eux. En échange, ce dernier leur doit un respect moral.

L'originalité de ce système vient donc du fait que le travailleur manuel, au lieu d'être frustré du fruit de son travail — comme l'artisan ou le serf du Moyen Age, ou l'ouvrier moderne dans des proportions moindres — peut au contraire l'accroître en y ajoutant des biens donnés par le seigneur. Par conséquent, s'il devait y avoir une révolution sociale, elle s'effectuerait de haut en bas et non de bas en haut. Mais il y a mieux : les ressortissants de toutes les castes, y compris les esclaves, sont étroitement associés au pouvoir ; ce qui conduit à des monarchies constitutionnelles, gouvernées par des Conseils de ministres où figurent tous les représentants authentiques du peuple.

On comprend qu'il n'y ait pas eu, en Afrique, de révolution contre le régime, mais seulement contre ceux qui l'appliquent mal, c'est-à-dire, des princes indignes.

Pour chaque caste, inconvénients et avantages, aliénation et compensation s'équilibrent. Aussi c'est à l'extérieur des consciences, dans le progrès matériel, les influences reçues de l'extérieur qu'il faut chercher le moteur de l'histoire. Compte tenu de l'isolement, on comprend pourquoi les sociétés africaines sont restés relativement immuables, au point que l'on puisse aujourd'hui établir des points de comparaison avec l'Égypte ancienne.

Le seul élément qui aurait intérêt à bouleverser l'ordre de la société africaine, parce qu'il y est aliéné sans compensation, est l'esclave de la maison du père. Il n'a pu le faire, pour des raisons qui relèvent du caractère pré-industriel de la société : faible concentration, etc... Le système clanique qu'on rencontre également en Afrique est un stade primitif où la division embryonnaire du travail n'a pas encore pris la forme du système de castes. Les formes d'aliénation des sociétés plus évoluées y étant absentes, il a tendance, lui aussi, à se pétrifier.

La parenté grammaticale des langues africaines actuelles, comme le valaf, et de l'égyptien ancien de la XVIII⁰ dynastie, telle qu'elle est exprimée sans aucun doute dans la conjugaison ci-dessous, montre que la comparaison des deux réalités, loin d'être illusoire, est légitime et qu'elle se conçoit même dans différents domaines.

La racine KEF = capturer, saisir violemment, arracher, tant en valaf actuel qu'en ancien égyptien (2400 à 750 avant J. C.) sera choisie comme exemple de conjugaison

Égyptien classique (1)		*Valaf*	
KEF i	j'ai saisi	KEF nâ	j'ai saisi
KEF ek (masc.) KEF et (fém.)	tu as saisi	KEF nga	tu as saisi
		KEF na (2)	il a saisi
KEF ef (masc.) KEF es (fém.)	il ou elle a saisi	KEF ef KEF es	on a saisi
KEF nen	nous avons saisi	KEF nen	nous avons saisi
KEF ten	vous avez saisi	KEF ngèn	vous avez saisi
KEF sen	ils ont saisi	KEF nanu	ils ont saisi

Le valaf, à l'heure actuelle, exprime le féminin par un autre procédé grammatical que l'égyptien classique. Il consiste à faire suivre le nom de : mâle ou femelle. Du reste ce procédé existait en égyptien dans certains cas, mais ne fut jamais généralisé (2). D'après Mlle Homburger c'est seulement dans les langues africaines que la généralisation se fera comme une sorte de prolongement d'une évolution esquissée en égyptien pendant la période de déclin.

On comprend donc que les formes féminines de la conjugaison égyptienne disparaissent en valaf ou, lorsqu'elles se maintiennent, comme à la troisième personne du singulier, deviennent équivalentes aux formes masculines et l'ensemble se traduit par un pléonasme. Ainsi s'éclairent certains faits grammaticaux valaf restés jusqu'ici obscurs.

(1) Gardiner : Egyptian grammar, Londres, 1927.
   Lefebvre : Grammaire égyptienne, Le Caire, 1953.
(2) Genèse du pronom 3⁰ singulier na à partir de l'égyptien :
ÉGYPTIEN : ḥs(y)t nt nṯr = (celle) que favorise le dieu
VALAF   : hed n a ṭi túr = (elle) est favorisée par le dieu
         hed na ... = (il/elle) est favorisé...
(3) Louise Homburger : Les Langues Négro-Africaines et les peuples qui les parlent, chapitre XII. Payot, 1947.

Des recherches de plus en plus nombreuses viennent chaque jour confirmer cette parenté culturelle profonde de l'Égypte ancienne et du reste de l'Afrique Noire. C'est ainsi que Jean Capart et Georges Contenau s'interrogent sur le prétendu caractère sémitique de la langue égyptienne.

« *A quelle famille linguistique se rattache donc la langue des inscriptions hiéroglyphiques ? Après avoir affirmé, de plus en plus nettement, dans les éditions successives de sa grammaire égyptienne (1894, 1902, 1911), la parenté de la langue égyptienne avec les langues sémitiques, les langues de l'Est africain et les langues berbères de l'Afrique du Nord, le professeur Erman exprime ces relations avec beaucoup moins de fermeté dans la dernière édition de son ouvrage (1928). Devant ces hésitations, il semble donc plus sage, à l'heure présente, de s'inspirer des dernières conclusions du professeur Erman :* « Les Égyptiens sont des Nubiens sémitisés » (1).

Les dernières études de Masson-Oursel tendent, purement et simplement, à identifier le génie égyptien ancien et africain actuel, et insistent sur l'ampleur et la profondeur de l'influence culturelle égyptienne sur l'Afrique Noire à travers la Nubie.

« *En s'y prêtant, l'intellectualisme issu de Socrate et d'Aristote, d'Euclide et d'Archimède, s'accommodait à la mentalité nègre, que l'égyptologue aperçoit, comme toile de fond, derrière les raffinements de la civilisation dont il s'émerveille.*

....

« *Amenés à nous aviser de ce qui devrait être un truisme, l'aspect africain de l'esprit égyptien, nous nous expliquons par là plus d'un trait de sa culture.*

....

« *Dès à présent, dans cet ordre de recherches si précieux pour l'investigation de la pensée, nous commençons à entrevoir qu'une grande partie du continent noir, au lieu d'être aussi fruste et* « *sauvage* » *qu'on l'avait supposé, répercute en maintes directions à travers l'immense isolement par le désert ou la forêt, des influences qui, par la Nubie, par la Libye, l'Ethiopie, venaient du Nil* » (2).

---

(1) Jean Capart et Georges Contenau : Histoire de l'Orient ancien (Hachette 1936), p. 52.
(2) Masson-Oursel : La Philosophie en Orient (Fascicule supplémentaire à l'Histoire de la Philosophie, par Émile Bréhier) Presses Universitaires, 1948 (p. 43).

Ainsi, en raison du caractère relativement statique de la société africaine qui a incité Frobénius à écrire que l'Afrique est « *une boîte de conserve des anciennes civilisations* » (1) il est possible, aujourd'hui, d'établir une comparaison avec le passé en s'entourant toutefois des précautions indispensables pour demeurer sur le terrain scientifique.

(1) Léo Frobenius : **Histoire de la Civilisation Africaine.** Trad. Dᵣ H. Back et D. Ermont (Gallimard, 1933).

CHAPITRE VII

Les faits troublants

Sous cette rubrique vont être analysés un certain nombre de faits suggérés par le vocabulaire des langues des peuples étudiés.

Culte
DES
Ancêtres
Son caractère universel a été souligné : l'accent fut mis tout au plus sur la différence de formes que revêt ce culte quand on passe du berceau indo-européen au berceau méridional.

Chez les Indo-Européens, tout gravitait autour du génos : clan du père symbolisant le régime patriarcal, filiation patrilinéaire ; toutes les idées de la parenté consanguine patrilinéaire sont contenues dans ce terme qui semble typiquement indo-européen. C'est un des rares termes dont il ne vient pas à l'esprit de mettre en doute l'authenticité chaque fois que l'on cherche à dégager le minimum de racines constituant, à l'état actuel de nos connaissances, le fond primitif de l'indo-européen.

La fin du chapitre précédent montre que le vocabulaire de certaines langues africaines, comme le valaf, pourrait relever d'une très haute antiquité. Or, il existe en valaf une racine *géno-* = la ceinture paternelle, la filiation patrilinéaire au sens strictement indo-européen, au point que l'expression *Sama géño (a)g bây !* = sur la ceinture de mon père, est un serment. Cette racine a proliféré autant en valaf que dans les langues indo-européennes et, chose curieuse, le sens de ces proliférations est souvent comparable.

Valaf	Indo-européen germanique
gén = sortir	
genté = baptême (cérémonie de la sortie du nouveau-né, 8 jours après la naissance)	
gen = être meilleur	
gen men = de plus noble sein, l'homme bien né	*gen men* = le noble, génération ; *gen men* > *germen* > germain = le noble (par dissimilation régressive du *n*).
gèn = sexe masculin, queue de l'animal.	

La comparaison serait plus probante, plus exhaustive s'il était possible de trouver en égyptien ancien la même racine.

Or, il existe dans l'écriture hiéroglyphique un signe représentant une queue d'animal, dont le nom est transcrit *qen*. On n'est pas arrivé à identifier l'animal en question ; on ne sait pas exactement si le terme transcrit est le nom de l'animal ou celui du déterminatif : du reste, en égyptien, le déterminatif a souvent une valeur vocalique et se prononce de la même façon que le nom déterminé. Ainsi l'attestation de la racine *gén* paraît assez probable en égyptien. Les incertitudes qui règnent sur le vocabulaire ne permettent pas d'être plus affirmatif.

« *Les dictionnaires de la langue égyptienne renferment une infinité de mots dont le sens ne peut être donné pour le moment que par une indication très générale :* « *Verbe exprimant un mouvement, ou une action violente* ». *Souvent la traduction plus ferme s'accompagne de la réserve :* « *ou quelque chose d'analogue* ». *Il arrive aussi que les déterminations zoologiques botaniques, se heurtent à des difficultés dont voici un exemple. Les textes parlent, dès les époques les plus anciennes, d'un bois de construction que les Égyptiens allaient chercher au Liban. Les premiers égyptologues en traduisirent le nom Ash par acacia. Victor Loret a démontré qu'il s'agissait du sapin de Cilisie qui se trouve aujourd'hui surtout dans le Taurus. La traduction que beaucoup d'auteurs avaient adoptée :* « *Cèdre du Liban* » *est donc erronée* (2). »

On peut souligner aussi que les Égyptiens — pas plus qu'aucun autre peuple ancien — n'ont jamais dressé un dictionnaire académique et que, par conséquent, le vocabulaire recueilli

---

(2) Capart : op. cit., p. 45.

d'après les textes (Livre des Morts, Textes des Pyramides, etc...) est nécessairement fragmentaire. Il arrivera donc assez souvent que des termes égyptiens non attestés aient survécu dans les langues africaines apparentées ; mais, seules, des recherches systématiques ultérieures rendront suffisamment probant ce point de vue.

D'après Fustel de Coulanges, la parenté patrilinéaire est marquée par le culte : le partage du repas funèbre, l'accomplissement du même culte pour le même ancêtre.

« *Le principe de la parenté n'était pas l'acte matériel de la naissance ; c'était le culte. Cela se voit clairement dans l'Inde. Là, le chef de famille, deux fois par mois, offre le repas funèbre ; il présente un gâteau aux mânes de son père, un autre à son grand-père paternel, un troisième à son arrière-grand-père paternel, jamais à ceux dont il descend par les femmes. Puis, en remontant plus haut, mais toujours dans la même ligne, il fait une offrande au quatrième, au cinquième, au sixième ascendant. Seulement, pour ceux-ci, l'offrande est plus légère ; c'est une simple libation d'eau et quelques grains de riz. Tel est le repas funèbre ; et c'est d'après l'accomplissement de ces rites que l'on compte la parenté* » (1).

Ces rites se retrouvent — en ce qui concerne le repas funèbre — chez les Sérères du Sénégal : mais l'ancêtre auquel est rendu le culte est de la lignée maternelle ; et l'usage du totémisme fait qu'il est toujours représenté sous sa « forme animale » : le *Tûr*, lequel est, la plupart du temps, un serpent non venimeux, habitant les lieux réservés aux libations et circulant librement dans la maison (2). C'est ce qui explique que *Tûr* signifie « libation » en valaf et en sérère ; *tûru* = faire des libations. Ces dernières sont réservées, comme chez les Indo-Européens, aux seuls ressortissants de la famille issue du même ancêtre : le rapport de parenté qui existe entre eux se dit *mbok* = partage (sous-entendu : du repas funèbre ?). *Bok* = partager, est le verbe correspondant. Il est caractéristique qu'il serve à désigner la notion de parenté ; il reflète davantage l'aspect cultuel que biologique de la parenté. C'est par extension seulement que le mot peut signifier : avoir en commun ; *bok nday* = avoir en commun la même mère.

Chaque famille a son nom totémique, celui de son ancêtre

---

(1) Fustel de Coulanges : op. cit., p. 59.
(2) Comme chez les Romains d'après Grenier.

mythique, de son clan, de son génos pour ainsi dire, mais à base matrilinéaire. Par exemple, les guélwar Diouf ont comme totem une sorte de lézard, appelé Mbossé : ils sont les seuls à avoir le droit de faire des libations pour cet animal.

lar = Dieu du foyer (Etrusque, Romain, Peul) (1).

lar = objet du culte en valaf.

Ce n'est pas seulement dans le domaine du culte des ancêtres qu'on rencontre des faits aussi troublants en raison de l'étymologie des mots qui les désignent.

VOCABULAIRE MÉDITERRANÉEN — Tout un vocabulaire, datant de l'époque égéenne, c'est-à-dire d'une période où le monde indo-européen, étant donnée son inconsistance culturelle, était particulièrement perméable aux influences étrangères, pourrait être mis en cause.

Personne peut-être, autant que Victor Bérard, n'a souligné l'influence unilatérale égypto-phénicienne subie par la Grèce.

« *C'est de la mer aussi et de ses gens que le poète grec (Homère) a reçu nombre de mots étrangers soit comme noms de lieux et noms propres, soit comme noms communs. On en pourrait dresser un assez ample vocabulaire et montrer comment il faut, en outre, recourir aux notions et théories des Phéniciens ou de leurs maîtres d'Egypte pour expliquer nombre de formules et de métaphores homériques* ....

« *Pour arriver dans l'Egyptos ou pour en revenir, Ménélas et le pirate crétois ont passé par la Phénicie. Pour arriver aux poèmes homériques, le conte égyptien (le conte du naufragé) a pu prendre la même route* ....

Notre conte odysséen présente donc un mélange de choses égyptiennes et de choses sémitiques, ce qui proprement est le caractère des productions phéniciennes ....

« *Je ne crois donc pas au rôle d'un Homère Ulysse. Je crois au travail d'un poète lettré, sachant aussi bien lire qu'écrire et empruntant à une source écrite la matière de ses descriptions et de ses légendes. Cette source lui venait directement ou indirectement des Phéniciens* (2).

....

« *La plupart des autres îles grecques ont conservé jusqu'à nous*

---

(1) Hampaté Ba : Culture Peul, Présence Africaine n° juin-novembre 1956, page 85.
(2) Victor Bérard : La Résurrection d'Homère. Au temps des héros (Éd. B. Grasset, Paris, 1930), pp. 99, 102, 145 et 153.

le souvenir indélébile de cette époque, dans les noms qu'elles portent encore aujourd'hui.

« *Ces noms, en effet, que les Héllènes se transmettent depuis trente siècles, Délos, Syros, Casos, Paxos, Tharos, Samos, etc... ne veulent rien dire en grec ; mais ils étaient accompagnés durant l'antiquité, d'appellations grecques, que tout auditeur héllénique comprenait aussitôt : Ortygia « l'île aux cailles », Aghné « l'île de l'écume », Plateia, « l'île plate », Aéria, « l'île aérienne ». Ces appellations grecques oubliées aujourd'hui n'étaient que la traduction des noms mystérieux dont une étymologie sémitique peut sûrement nous rendre compte : Casos-Achné, Paxos-Platéia, Thasos-Aéria, Samos-Hypsélé, Délos-Ortygia sont autant de « doublets » comme disent les géographes* ....

« *Dans les vieux doublets de la Méditerranée grecque le premier terme est l'original, semble-t-il et le second est une copie postérieure : les Sémites ont créé le premier ; les Héllènes lui ont substitué le second. Car on ne voit ni quand ni comment ni pourquoi les Hellènes, si l'appellation grecque eut été l'original primitif, auraient ensuite abandonné ce terme de leur langue et préféré un nom étranger. Les Phéniciens avaient régné sur les eaux des Pélasges avant les Héllènes Achéens ; l'histoire postérieure à l'occupation achéenne n'y mentionne plus leur souveraineté... L'Odyssée fournit sur ce point l'indice décisif* (1). »

Rien n'est plus discutable que l'étymologie du terme « barbare » considéré souvent comme indo-européenne. D'après Thucydide, Homère ne l'a jamais employé et il en donne la raison :

« *Il (Homère) n'a, du reste, pas davantage employé le mot de barbares, cela parce qu'à mon avis les Grecs n'étaient pas encore groupés, de leur côté, sous un régime unique qui pût s'y opposer* » (2).

On trouve dans le livre II d'Hérodote un passage assez curieux relatif au terme « barbare » ; le Pharaon Nékao entreprit le percement d'un canal reliant le Nil à la Mer Rouge ; mais il dut arrêter les travaux « *après qu'un oracle se fût mis à la traverse, disant qu'il travaillait d'avance pour le Barbare ; les Egyptiens appellent Barbares tous ceux qui n'ont pas la même langue qu'eux-mêmes* » (3).

_____

(1) Victor Bérard : La Résurrection d'Homère. Au temps des héros (Éd. B. Grasset, Paris, 1930), pp. 52, 53, 54.
(2) Thucydide : La Guerre du Péloponèse, Livre I, par. III. (Traduction Jacqueline de Romilly), Éd. « Les Belles Lettres », Paris, 1953.
(3) Hérodote : op. cit., Livre II, par. 158.

On aurait pu penser que « Barbare » est un terme essentiellement grec et que Hérodote l'a employé pour traduire une idée égyptienne équivalente. Ce qui précède permet déjà de douter de cette interprétation. Il faut ajouter que le terme n'a pas proliféré dans les langues indo-européennes ; que sa structure — redoublement de la racine « Bar » pour former un substantif — caractérise essentiellement les langues africaines par opposition aux langues indo-européennes.

Il est curieux de noter que *Bar* = parler rapidement en valaf ; *barbar-lu* = faire semblant de parler rapidement ; on pourrait multiplier les exemples pour souligner la prolifération de cette racine en valaf :

Okéanos : étendue d'eau, en grec. C'est Homère qui a introduit le mot dans la poésie d'après Hérodote. Cf. Livre II, il n'est pas indo-européen.

cyane = excavation remplie d'eau, en valaf.

Zeus est considéré comme le Dieu Européen par excellence. Il est identifiable à tous les phénomènes atmosphériques, célestes ; il est tour à tour Dieu de la lumière, de l'orage, de la pluie, d'après Albert Grenier qui souligne aussi l'unité étymologique de son nom dans les différentes langues indo-européennes.

« *Au sanskrit Dyâus (racine div, rayonner) correspond le grec Zeus, le latin Jup-piter, le vieux norrois Tyr, le germanique Ziu. C'est proprement le ciel lumineux (1).* »

Ce point de vue sur l'étymologie de Zeus est aussi celui de Piganiol

« *Parfaitement fidèle à la tradition indo-européenne, les Perses donnent le nom de Zeus à tout l'espace céleste (2).* »

L'auteur renvoie au paragraphe 131 du Livre I d'Hérodote où la même idée est mentionnée.

Il ressort essentiellement de ces citations que Zeus n'est pas identifié au ciel, mais à l'espace céleste, cet espace entre le ciel et la terre où se déroulent tous les phénomènes atmosphériques et qui, par une coïncidence pour le moins troublante, est aussi appelé *Dyau* en valaf. *Djaw* = jour, en bantou.

Evidemment, il serait innocent de notre part de vouloir

_____

(1) Albert Grenier : Les religions étrusque et romaine, p. 88 (Coll. « Mana », P.U.F., 1948).
(2) Piganiol : Les origines de Rome, p. 117 (Éd Librairie Fontemoing et Cⁱᵉ, 1916).

tirer des certitudes scientifiques d'un si vague rapprochement de termes africains et indo-européens, surtout lorsque les attestations antérieures des langues africaines sont si rares. On peut même rappeler qu'en linguistique il est toujours relativement aisé de rapprocher deux langues quelconques du globe ; c'est le contraire qui serait plutôt difficile : prouver que deux langues n'ont aucun lien de parenté.

Il n'en demeure pas moins que le mystère subsiste, car la comparaison a été établie, non pas avec des termes secondaires de l'indo-européen, mais avec les quelques termes certains, authentiques dont on a pu disposer pour bâtir la théorie même de l'indo-européen : génos, Zeus, etc...

CONCLUSION

En conclusion, le berceau méridional confiné au continent africain en particulier est caractérisé par la famille matriarcale, la création de l'État territorial, par opposition à l'État-Cité aryen, l'émancipation de la femme dans la vie domestique, la xénophilie, le cosmopolitisme, une sorte de collectivisme social ayant comme corollaire la quiétude allant jusqu'à l'insouciance du lendemain, une solidarité matérielle de droit pour chaque individu, qui fait que la misère matérielle ou morale est inconnue jusqu'à nos jours ; il y a des gens pauvres, mais personne ne se sent seul, personne n'est angoissé. Dans le domaine moral, un idéal de paix, de justice, de bonté, un optimisme qui élimine toute notion de culpabilité ou de péché originel dans les créations religieuses et métaphysiques. Le genre littéraire de prédilection est le roman, le conte, la fable et la comédie.

Le berceau nordique confiné à la Grèce et à Rome est caractérisé par la famille patriarcale, par l'État-Cité (il y avait dit Fustel de Coulanges, entre deux cités, quelque chose de plus infranchissable qu'une montagne) ; on voit aisément que c'est au contact du monde méridional que les nordiques ont élargi leur conception étatique pour s'élever au niveau de l'idée d'un État territorial et d'un empire. Le caractère particulier de ces États-cités en dehors desquels on était un hors la loi développa le patriotisme à l'intérieur, ainsi que la xénophobie. L'individualisme, la solitude morale et matérielle, le dégoût pour l'existence, toute la matière de la littérature moderne qui même sous ses aspects philosophiques n'est autre que l'expression de la tragédie d'une vie dont le style remonte aux ancêtres sont l'apanage de ce berceau.

Un idéal de guerre, de violence, de crime, de conquêtes hérité de la vie nomade avec comme corollaire un sentiment de culpabilité ou de péché originel qui fait bâtir des systèmes religieux ou métaphysiques pessimistes est l'apanage de ce berceau.

Le progrès technique et la vie moderne, l'émancipation progressive de la femme moderne sous l'influence même de cet individualisme, tant de facteurs rendent difficile l'effort nécessaire pour se rappeler l'antique condition de serve de la femme aryenne.

Le genre littéraire par excellence est la tragédie ou le drame. L'Africain depuis les mythes agraires d'Égypte n'est jamais allé au delà du drame cosmique.

La solidarité africaine n'est pas une solidarité scientifique, celle-ci étant aussi efficace que dépourvue de chaleur humaine. Elle pourrait enrichir le socialisme scientifique de ce dernier facteur.

L'angoisse sociale dont il est question ci-dessus est issue de l'insécurité matérielle et de la solitude morale ; elle est absolument distincte de la déception et du malaise intellectuel et moral du savant moderne.

Le savant fut tranquille pendant tout le règne du système géocentrique, — c'est-à-dire jusqu'à la Renaissance. Puis la découverte de l'infini vient bouleverser sa raison et même sa conscience. Dans sa nouvelle conception de l'univers en élan, les galaxies qui basculent dans le néant à des distances que l'on ne peut chiffrer qu'en années-lumière, l'immensité de la durée en regard du phénomène humain, lui donne le vertige intellectuel. Il est écrasé par l'infini de l'espace et de la durée. Il est déçu par la position périphérique de l'homme dans l'univers, par sa présence purement accidentelle. Il a tendance à se demander avec Salomon si tout n'est pas pure vanité.

Pourtant il faut que les choses aient un sens ; le labeur du savant doit s'insérer dans le cadre d'une activité générale hautement utile pour la civilisation et pour l'univers, sinon ce serait le règne de l'absurde à l'échelle du cosmos. Comment échapper à cette fatalité ? Quinze milliards d'années, la durée de vie que les savants assignent aujourd'hui au système solaire ; puis le soleil s'éteint ; s'il n'a pas éclaté d'ici là pour engendrer une mort générale par le feu, ce sera une mort par le froid. Et puis, peut-être, au bout d'une durée incommensurable, le même cycle s'ébauche de nouveau absurdement quelque part dans l'espace et repasse par les mêmes phases. Il faut que le savant trouve le moyen d'écarter cette éventualité déconcertante à laquelle le conduisent ses propres investigations, la volonté indestructible de percer l'inconnu.

Ici, également le passé culturel des nations et des peuples peut influer sur les perspectives pessimistes ou optimistes qu'on peut adopter pour donner un sens à l'activité supérieure de l'esprit humain, pour envisager l'avenir de l'espèce.

Dans le « PHÉNOMÈNE HUMAIN », le Père Teilhard de Chardin, dans un effort gigantesque de synthèse, essaie de démontrer que l'évolution va nécessairement vers un but ; mais le but en question est métaphysique et ne satisfait pas le savant soucieux de concret, de ce qui est tangible. La question est si déconcertante que beaucoup de savants occidentaux (physiciens, mathématiciens, biologistes) en arrivent à un vague déïsme.

On peut déduire de ce qui précède que la plupart des futurs savants africains, compte tenu de leur passé culturel, appartiendront plutôt à la catégorie qui adopte une perspective optimiste raisonnée.

Peut-être penseront-ils qu'une fois l'humanité réalisée au lieu de mourir d'ennui dans le plus complet désœuvrement, l'homme se rendra compte que sa tâche ne fait que commencer. Il découvrira alors qu'il est absolument dans ses possibilités bien avant 15 milliards d'années de réflexion, de domestiquer le système solaire et d'y régner jusqu'à la planète périphérique de Pluton, d'une façon pratiquement éternelle. Y arrivera-t-il peut-être en nourrissant le soleil par des satellites précaires formés avec la matière sidérale qui finissent par tomber dans sa masse, ou peut-être en restituant au soleil l'énergie rayonnée en l'accélération des noyaux d'hydrogène à partir d'immenses champs électro-magnétiques artificiels ? Refuser la mort thermodynamique, stabiliser le système solaire, le protéger des météorites dangereux, solidifier les planètes gazeuses, réchauffer celles de la périphérie pour les rendre habitables, empêcher l'apparition et la prolifération de monstres biologiques, contrôler les climats et l'évolution des planètes, découvrir et entretenir toutes les routes praticables du système, communiquer avec les étoiles proches de la galaxie, créer un surhomme à vie plus longue, telles seront peut-être les préoccupations enthousiastes du savant de demain. La vie aurait ainsi à sa manière triomphé de la mort, l'homme aurait réalisé un paradis terrestre pratiquement éternel, il aurait triomphé par la même occasion de tous les systèmes métaphysiques et philosophiques pessimistes, de toutes les visions apocalyptiques du destin de l'espèce. Une étape grandiose de l'évolution de la conscience humaine serait franchie. L'homme apparaîtrait comme un Dieu en devenir au sens hégélien.

L'univers de demain, selon toute vraisemblance sera imprégné de l'optimisme africain.

APPENDICE

Notes sur « La résurrection d'Homère.
Au temps des héros »
par Victor Bérard

Rarement un historien a, autant que Victor Bérard, insisté
sur l'influence égyptienne en Grèce.

Il souligne d'abord la fréquence des relations dès l'époque
homérique, le luxe doré dans lequel vivait le monde égéen :
Hélène recevait déjà des cadeaux précieux d'habitants « de la
Thèbes d'Egypte, la ville où les maisons regorgent de richesses ».

L'Égypte était déjà réputée pour ses médecins les plus savants du monde

« Cette même Hélène pouvait se fournir librement à Thèbes
du fameux néponthès, anesthésique et stupéfiant tout ensemble,
dont elle endormait aussitôt la douleur ou les soucis de ses convives » (1).

Selon l'auteur les objets trouvés en Crète font remonter à
une antiquité sans fond les relations avec l'Égypte : un vase
trouvé à Cnossos « relève d'un modèle qui ne se rencontre que sur
le Nil aux temps prédynastiques ou sous les Ire et IIe dynasties. »
L'Ile aurait été même annexée par les Pharaons :

« Il semble que, treize siècles avant les Ptolémées, qui feront
la même besogne, vingt-deux siècles avant les khalifes, qui la
répèteront, trente-deux siècles avant Méhémet Ali, qui l'entrepren-
dra et la réussira un instant, les Pharaons annexent l'Ile de Crète
à leur empire : leurs vassaux et tributaires de Phénicie y sont leurs
agents politiques et leurs courtiers commerciaux (2). »

----

(1) Victor Berard : La Résurrection d'Homère. Au temps des héros,
Éd. Bernard Grasset, 1930, pp. 34 et 35.
(2) Victor Berard : La Résurrection d'Homère. Au temps des héros,
Éd. Bernard Grasset, 1930, pp. 36.

Les sceaux d'Aménophis III et de sa reine Tii trouvés en Méditerranée permettent de dater avec certitude le début de l'histoire grecque

« *L'histoire des pays grecs commence en ces XVI-XVe siècles avant notre ère : les monuments égéens et mycéniens peuvent dès lors s'encadrer dans une chronologie que nous rapportent les documents de l'Egypte et de la Grèce elle-même. Les sceaux d'Aménophis III et de sa reine Tii (1411-1380), trouvés à Chypre, à Rhodes, en Crète et à Mycène, fournissent la première date certaine pour le plein essor de cette civilisation égéolevantine, dont les Hellènes attribuaient l'apport à Minos, fils d'Europe la Phénicienne, à Cadmos le Tyrien et à Danaus l'Egyptien, importateurs des lois écrites, de l'alphabet, du cheval, du char de guerre et du vaisseau à cinquante rameurs* » (1).

Les Achéens se mirent à l'école des Égypto-Phéniciens, apprirent d'eux à construire les vaisseaux rapides homériques à cinquante-deux hommes d'équipage » *qui composaient les flottes de Tyr et de Sidon et dont les monuments égyptiens, dès le XVe siècle avant notre ère, nous ont gardé l'image : tous les détails de la construction et du gréement correspondent aux données du croiseur homérique et de cette galère à cinquante rames que les Levantins, puis les Occidentaux reçurent des Phéniciens, que la Méditerranée tout entière de l'époque classique, du Moyen Age et des temps modernes adopta durant trois mille ans et dont les derniers exemplaires figuraient encore dans les escadres de notre Louis XV* » (2).

Le lourd chariot avec ses roues de bois qui était la maison du nomade se transforma, au contact des Égyptiens, en char métallique léger chez les Achéens « *semblable de tous points aux chars de Pharaon que nous décrit Maspéro* » (3).

L'auteur cite un passage où Maspéro décrit la charrerie et la cavalerie égyptiennes et se pose la question suivante :

« *Est-ce de guerriers homériques ou de guerriers égyptiens que parle ainsi G. Maspéro ? Et tel vers homérique* « *Les chevaux de grand cœur s'envolaient vers la plaine* » *ne serait-il pas la traduction la plus exacte de telle représentation égyptienne d'un char*

---

(1) Victor Berard : op. cit., pp. 36 et 37.
(2) Id., op. cit., p. 38.
(3) Id., op. cit., p. 39.

en pleine course, dont les chevaux aux longs crins (selon l'épithète homérique) s'envolent, les deux pieds de devant battant l'air ? » (1).

Les relations avec l'Égypte et le Proche Orient étaient si profondes que l'auteur suppose qu'Agamemnon, le chef de la féodalité achéenne, symbole de la formation du peuple grec, n'était pas de pur sang achéen, ni même de culture et de race héllénique, car il est le fils d'Atrée et petit-fils de Pélops le Phrygien qui s'était installé en Argos à la suite d'un mariage avec une princesse achéenne. Il devait son renom à sa fortune. Sa suzeraineté s'étendit sur la presqu'île qui devint le Péloponèse.

« *Egyptiens, Phéniciens et Hittites ont donc été les éducateurs de l'Achaïe, mais Egyptiens et Phéniciens surtout* » (2).

L'auteur montre que les héros de l'époque homérique conservent des relations étroites avec la Thèbes d'Égypte puisque Ménélas s'y expatria pendant sept ans et en revint chargé de présents. Thèbes était imbibée d'étrangers, Sémites, Libyens, Achéens comme le fut plus tard Byzance au temps du Bas Empire.

« *Elle en était même réduite à défendre son territoire, son passé, sa langue même, contre ces étrangers qui se présentent en amis, en alliés, en serviteurs, et qui la pénètrent pacifiquement... Elle reste la cité la plus célèbre et la plus riche du monde ; cette ville de l'or attire encore les regards et les convoitises des Achéens ......*

« *Combien de seigneurs achéens ont du, avant et après Ménélas, monter et séjourner de longs mois, de longues années, dans cette capitale de la civilisation !* » (3).

En réalité c'est toute l'Égypte qui reçoit un flot de plus en plus important d'étrangers de race achéenne. Toutes les fois que le Pharaon a vaincu les « peuples de la mer », « *il épargne les survivants, les enrôle et les distribue sur ses chantiers de construction ou dans ses postes militaires. Ils deviennent les meilleurs ouvriers et les meilleurs soldats du roi ....*

...Domiciliés ou casernés à Thèbes et dans les provinces, ces mercenaires épousent des Egyptiennes, se mêlent à la population,

---

(1) Victor Berard : op. cit., p. 40.
(2) Id., op. cit., p. 43.
(3) Victor Bérard : op. cit., p. 44.

deviennent d'honnêtes gens et même de grands personnages, parviennent aux honneurs et à la richesse. Sous la XXᵉ dynastie (1200-1100 avant J.-C.), à Thèbes même, une bonne part des officiers et des fonctionnaires étaient faite de Syriens et de Berbéres d'acclimatation récente ....
....

« Cet échange de femmes surtout opérait un brassage des races et des civilisations, dont les récits d'Eumée vont nous donner un bel exemple ....
« A Ithaque, le héros Aigyptos, l'Egyptien, est toujours écouté quand il se lève pour parler au peuple » (1).

L'auteur décèle dans la toponymie méditerranéenne l'ampleur de l'influence égypto-phénicienne.

« Deux et trois mille ans d'intimité presque continue entre les îles de la Très Verte et les civilisations levantines ont eu l'influence directe et indirecte que l'on peut imaginer sur la vie quotidienne des Achéens : Rome n'a pas agi plus fortement et plus profondément sur notre Europe Occidentale ....
...L'art de ce temps, même en ses œuvres les plus sûrement indigènes, est orientaliste, avec les caractères que ce mot implique : l'amour de la parure et de la pompe, du brillant et de la couleur, de la richesse et du clinquant même ; la fantaisie et l'exubérance dans les combinaisons de lignes savantes et de matières précieuses ; le sentiment de la vie universelle, de la grâce animale et végétale autant que de la beauté humaine ; une ardeur sensuelle vers le mouvement et la joie, et une sorte de langueur rêveuse et de résignation dans le plaisir ; au total, on ne sait quel exotisme au regard de notre Europe » (2).

Mais à cette époque reculée, les Phéniciens qui servaient d'intermédiaires avec l'Égypte étaient, sans conteste possible les vassaux du Pharaon : l'auteur en voit la preuve dans la correspondance échangée.

« Les rois ou suffètes de Tyr, de Sidon, d'Arad et de Byblos, des plus nobles métropoles phéniciennes, figuraient parmi ces correspondants qui se disaient les serviteurs d'Aménophis, les chiens de sa maison, les escabeaux et la poussière de ses pieds (3).

---

(1) Victor Berard : op. cit., pp. 47 et 48.
(2) Victor Berard : op. cit., pp. 61 et 62.
(3) Id., op. cit., p. 72.

Victor Bérard en arrive à l'analyse de l'œuvre d'Homère. Pour lui la dépendance entre *l'Odyssée* et les romans maritimes égyptiens transmis par les papyrus est étroite. Plusieurs passages de l'Odyssée ne sont, en quelque sorte, que la mise en vers grecs de fragments de romans égyptiens.

« *Depuis longtemps, les navigations égyptiennes dans la Méditerranée ou la Mer Rouge et leurs périples avaient donné naissance à des contes ou romans maritimes dont les papyri ne nous en ont encore livré que deux...... Le second récit beaucoup plus romanesque, est ce conte du naufragé auquel j'ai fait allusion plus haut : c'est le premier en date des Robinson Crusoé. Il reporte le lecteur aux temps lointains où les Pépi et les Mentou Hetep des VIe et XIe dynasties (2400-2100 avant notre ère) envoyaient déjà leurs flottes du Pouanit, dans le sud de la Mer Rouge, acheter les parfums, les drogues et les animaux rares : Salomon et Hirom s'associeront pour envoyer leurs grands vaisseaux de Tarsis faire là-bas les mêmes opérations de commerce. Le Robinson égyptien est victime d'un naufrage dans les eaux lointaines qui bordent To-Noutri le Pays des Dieux (Ulysse va nous citer des mots empruntés à la langue des Dieux). Une tempête coule le navire et tout l'équipage et, seul, notre héros est jeté sur une île qu'habite un serpent gigantesque, doué de voix humaine (comme Circé et Calypso) : ce serpent, bon père de famille, accueille le naufragé, l'entretient, le nourrit, lui prédit un heureux retour et le comble de cadeaux en le mettant à bord du navire qui le remporte (Circé en use de même)* » (1).

Protéus, le sorcier divin, rencontré par Ménélas aux bouches du Nil et toute l'histoire qui le concerne et à laquelle Idothée est mêlée, trouvent leur équivalent dans la littérature égyptienne : Prouti est le nom d'un Pharaon égyptien, magicien légendaire.

Sur les papyri du XIIIe siècle avant notre ère on trouve relatée l'histoire de deux princes sorciers : ce sont des fils de Prouti et de futurs Proutis eux-mêmes. Ils sont en quête du livre de Thot, le livre magique par excellence, qui permet à ceux qui le possèdent de se placer immédiatement au-dessous des Dieux ; par ses formules, il permet de charmer le ciel, la terre, le monde de la nuit, les montagnes et les eaux ; de connaître les oiseaux et les reptiles, les poissons qui sont au fond de l'abîme, car une force divine doit les faire monter en surface.

---

(1) Victor Berard : op. cit., pp. 107 à 109.

« *Le Protéus odysséen connaît les abîmes de la mer tout entière et fait monter les phoques de l'abîme écumant* » (1).

Lorsqu'après toutes ses métamorphoses le Protéus odysséen reprendra une forme humaine, il n'aura pas « *l'auguste chevelure blanche et la barbe argentée du Père éternel que notre populaire imaginerait aujourd'hui. Il porte une noire perruque hérissée par le zéphyr, comme il convient à Protéus l'Egyptien. Car le Prouti réel ne sort jamais sans une perruque bleue ou noire* (2). »

Le Pharaon d'Égypte portait une perruque légère, non de poils ou de crins, mais de métal et surtout d'émail. Il s'agissait donc d'une véritable coiffure, et non d'une imitation de chevelure. Les perruques existent encore en Afrique Noire, en Abyssinie. La noblesse égyptienne portait des perruques en lapislazuli.

Le Pharaon odysséen règne sur les phoques « *comme les Pharaons des fables et caricatures égyptiennes règnaient sur les rats, les lions ou les chats* ». ....

« *Le conte du Roi Khoufoui et les Magiciens mettait en scène un certain Didi qui, grâce aux livres de Thot, se faisait suivre des lions à travers le pays, comme notre Protéus se fait suivre des phoques* » (3).

Enfin, les prédictions du grand Serpent barbu dans le conte égyptien du naufragé sont les mêmes que ceux du divin Tirésias à Ulysse.

L'auteur montre que le Zéphyr n'est un vent bienfaisant et digne d'être chanté en poésie qu'en Égypte ; qu'étant donné son caractère funeste en Grèce et en Méditerranée septentrionale en général, « *seul, un emprunt aux modes et littérature de l'Egypte a pu faire du mistral le suprême agrément d'un paradis héllénique. Dire cependant que, depuis vingt-cinq siècles, le désagréable zéphyr (ainsi parle sagement le poète odysséen) est devenu, dans toutes les littératures occidentales disciples de la Grèce, le vent des tendres soupirs, du bonheur tranquille et de l'amour !* » (4).

Protée dans ses métamorphoses se change tour à tour en lion à crinière, en panthère, en porc géant, etc... Or, c'est l'hippopotame que les Égyptiens appelaient le cochon du fleuve. C'était la divinité de l'accouchement. On ne le trouve en Grèce que sur

---

(1) Victor Berard : op. cit., p. 90.
(2) Victor Berard : op. cit., p. 90.
(3) Id., op. cit., pp. 91 et 92.
(4) Victor Berard : op. cit., p. 96.

les monuments minoens d'origine égyptienne. Sa présence, écrit Bérard, est la preuve indiscutable pour les archéologues de l'influence égyptienne en Crète pré-héllénique dont les cultes se transmirent aux Crétois héllénisés. L'auteur, pour conclure se pose la question : « *Au total, peut-on nier que le poète odysséen ait emprunté son épisode de Protée aux contes et romans de l'Egypte pharaonique ? Mais cet emprunt fut-il direct, de texte égyptien à texte grec ?* » (1).

Il pense que non : les Phéniciens, courtiers et vassaux des Égyptiens auraient servi d'intermédiaires. Mais pour lui, les Égypto-Phéniciens ont joué vis-à-vis de la Grèce et des Hébreux le même rôle civilisateur, sinon davantage que l'Antiquité gréco-latine vis-à-vis de l'Occident moderne.

« *L'erreur de nos devanciers fut seulement de croire que cette aube des temps modernes était aussi l'éveil de l'humanité pensante et créatrice et qu'Homère et la Bible étaient les premières et soudaines explosions du génie littéraire. Les récentes découvertes des archéologues en Egypte et en Chaldée nous ont pleinement révélé que, durant une longue antiquité levantine, des savants, des artistes et des poètes avaient déjà créé des chefs-d'œuvre, qui servirent, eux aussi, de modèles à une centaine de générations et dont Hébreux et Hellènes, loin de les ignorer, furent les admirateurs et les imitateurs, parfois même les copistes. La Chaldée, l'Egypte et la Phénicie, Babylone, Thèbes et Sidon furent pour les Hébreux et les Hellènes la même sainte, belle, docte et vénérable antiquité que furent pour les Occidentaux Jérusalem Athènes et Rome* » (2).

Les prêtres égyptiens ne signaient pas leurs découvertes comme les grecs individualistes, aucun nom d'inventeur n'a survécu. Par contre, ils les gardèrent jalousement au sein de leur caste et ne dispensaient qu'un enseignement élémentaire exotérique au peuple.

Ils inventèrent la notion d'initiation, qui fut la grande faiblesse qui devait tuer un jour leur civilisation. Ils aimaient donner à la connaissance un caractère révélé et attribuaient leurs découvertes et les résultats de leurs expériences au Dieu Thot (Mercure Hermès). Aussi a-t-il été très facile aux disciples qu'ils ont initiés de s'attribuer les découvertes de leurs maîtres. Nous savons aujourd'hui de façon presque certaine que Thalés

---

(1) Victor Berard : op. cit., p. 97.
(2) Id., op. cit., pp. 81 et 82.

de Milet, Pythagore de Samos, Archimède de Sicile, Platon, Solon etc... ont été les élèves des prêtres égyptiens qui à cette époque même d'après Platon, considéraient les Grecs comme des esprits relativement enfantins. Or il est remarquable qu'aucun des savants grecs ainsi formés en Égypte, Pythagore le fondateur de l'École mathématique grecque en particulier, n'ait songé à faire la part des choses entre ses propres découvertes et celles reçues d'Égypte. C'est d'autant plus inexplicable que Plutarque dans « Isis et Osiris » insiste sur le fait que parmi tous les savants grecs qui se sont initiés en Égypte, Pythagore est le plus aimé des Égyptiens, à cause de son esprit mystique. On sait que sa science du Nombre fut longtemps une science mathématico-mystique.

Un tel goût de la réputation individuelle de l'immortalité du nom, un tel défaut de probité intellectuelle n'a pas manqué d'indigner l'honnête Hérodote qui montre sans ambages que Pythagore fut un plagiaire (1).

Hérodote dont la naissance serait séparée de 16 ans (?) à peine de la mort de Pythagore ne parle point de ce dernier comme d'un mythe mais d'un être qui a réellement existé. Il n'empêche que pour certains, Pythagore ne serait que la personnification de la nouvelle tendance (école) philosophico-mathématique.

L'existence de Pythagore peut être mise en doute; il n'en est pas de même de celle d'Archimède. On a retrouvé sa tombe à Syracuse en Sicile. Or toutes les inventions mécaniques attribuées à Archimède présentent un caractère douteux : elles existaient en Égypte des millénaires avant la naissance d'Archimède. Les constructeurs des pyramides de l'ancien empire connaissaient le principe du levier; ils employaient ce dernier de façon variée pour hisser des tonnes de pierres au sommet des pyramides en construction. Or il est impossible de se servir d'un tel instrument sans associer tout de suite le rapport des masses et des distances, sans théoriser.

Archimède aurait découvert la vis sans fin qui est à l'origine d'un immense progrès mécanique. Mais Diodore de Sicile est formel, Archimède n'a pu faire cette invention qu'après son voyage en Égypte où la vis hydraulique était déjà en usage et servait à pomper l'eau. Ceci paraît tellement évident qu'on accepte facilement aujourd'hui qu'Archimède ait tout au plus adapté une invention égyptienne. La vis égyptienne ainsi ex-

_____

(1) Cf. livre II.

portée par Archimède servit comme dans le pays d'origine à « pomper l'eau » des mines d'argent d'Espagne. Enfin le principe d'Archimède même porte sur cette mécanique des fluides. Il y a donc lieu de poursuivre les recherches. Le résultat semble être au bout.

Un autre fait non moins paradoxal est à relever. Le génie intellectuel héllène a éclos et s'est développé principalement en dehors d'Athènes et de la Grèce continentale, en Asie Mineure (Pergam, Milet, Halicarnasse) Palestine (Antioche) et surtout en Égypte à Alexandrie.

Ceci reste vrai pendant et après le règne d'Alexandre. Il faudrait pour saisir l'anomalie supposer que Dakar soit aujourd'hui le centre permanent de la puissance créatrice de la France à l'apogée de sa gloire.

C'est à Alexandrie que la philosophie connaîtra un nouvel essor avec le néoplatonisme de Plotin.

La plus importante bibliothèque du monde d'alors (qui sera brulée plus tard par des chrétiens fanatiques) les plus éminents médecins pratiquant la dissection, les ingénieurs constructeurs de machines « modernes » (thaumaturges) : pigeon volant en bois, turbine à vapeur à réaction... « boule de Héron » etc, se trouvent à Alexandrie à l'exclusion d'Athènes. Pourquoi ? Aucune raison apparente si ce n'est que l'infrastructure et la tradition intellectuelle égyptienne qui étaient déjà millénaires offraient aux chercheurs des conditions de travail que ne pouvaient concurrencer ni l'Asie ni l'Europe d'alors. Rien que ce choix permanent et le développement des sciences alexandrines, comparé à celui des autres centres d'Asie et d'Europe donne une idée de l'inégalité des apports étrangers à la Grèce pour qui voudrait mettre l'Afrique et l'Asie sur la même balance à ce point de vue.

Grâce à l'ingéniosité des savants alexandrins les progrès techniques réalisés dans l'antiquité permettaient de passer directement à une phase industrielle avec l'utilisation systématique de la machine.

L'énergie hydraulique était domestiquée par « Demeter ». La force motrice de la vapeur l'était aussi virtuellement.

Mais aucun chercheur n'éprouva le besoin d'alléger les peines des travailleurs esclaves (si bon marché) en substituant la machine à leur main-d'œuvre servile.

Les esclaves que la question pouvait intéresser n'étaient pas en mesure de faire des recherches et des applications. Aussi les résultats scientifiques servirent au divertissement des classes dirigeantes qui appréhendaient même la transformation brutale qui serait la conséquence de l'introduction de la machine dans les mœurs techniques.

Aristote disait, mais par ironie : « Lorsque la navette marchera toute seule l'esclave ne sera plus nécessaire. »

C'est vrai ; c'en fût fait de l'esclavage.

Mais l'idée ne pouvait pas lui venir de consacrer ses recherches à faire marcher toute seule la navette afin que tous les hommes devinssent libres. Il voulait démontrer par là que l'esclavage est une nécessité naturelle.

BIBLIOGRAPHIE

Amélineau, E. — *Résumé de l'Histoire de l'Egypte*, Paris, 1894.
Aymard, André et Auboyer, Jeannine. — *L'Orient et la Grèce antique*, coll. Histoire générale des civilisations, P. U. F., Paris, 1955.
— *Rome et son empire*, coll. Histoire générale des civilisations, P. U. F., Paris, 1954.
Aymard, André ; Chapoutier, F. ; Contenau, Georges *et al.* — *Les Premières Civilisations*, coll. Peuples et Civilisations, P. U. F., Paris, 1950.

Ba, Hampaté — « Culture peule », *Présence Africaine*, n° VIII-IX-X, 1956, Paris.
Bachofen, J.-J. — *Le Droit de la mère (Das Mutterrecht)*, 1861.
— *Johan Jacob Bachofens Gesammelte Werke*, Dritter Band : *Das Mutterrecht* (mit Unterstützung von Haralf Fuchs, Gustav Meyer und Karl Schefold, herausgegeben von Karl Meuli), Benno Schwabe und C° Verlag, Basel, 1948.
Bémont, Ch. et Monod, G. — *Histoire de l'Europe au Moyen Age*, tome I, F. Alcan, Paris, 1921.
Benloew, Louis — *La Grèce avant les Grecs*. Etude linguistique et ethnographique, Pélasges, Lélèges, Sémites et Ioniens. Maisonneuve et Cie, Paris, 1877.
Bérard, Victor — *La Résurrection d'Homère. Au temps des héros*, B. Grasset, Paris, 1930.
Breasted, J. H. — *La Conquête de la civilisation*, Payot.

Capart, Jean et Contenau, Georges — *Histoire de l'Orient ancien*, Hachette, Paris, 1936.
César — *La Guerre des Gaules*, livre VI.
Champollion le jeune — « Lettres publiées par Champollion-Figeac », in *Egypte ancienne*, coll. L'Univers, 1839.
Chapoutier, F. (voir Aymard, André...).
Contenau, G. — *Manuel d'Archéologie Orientale*, tome IV, A. et J. Picard et Cie, 1947.
Contenau, G. (voir Aymard, André...).
Contenau, G. (voir Capart, Jean...).

Davy, G. (voir Moret, A...).
Delafosse, Maurice — *Les Noirs de l'Afrique*, Payot et Cie, Paris, 1922.

DIODORE DE SICILE — *Histoire universelle*, livre I et II (trad. Abbé Terrasson, Paris, 1758).
— *Histoire universelle*, livre III (trad. Hoefer), éd. Adolphe de la Trays, Paris, 1851.
DUMOULIN DE LAPLANTE — *Histoire générale synchronique*, Paris, 1947.

ENGELS, Friedrich — *L'origine de la famille, de la propriété privée et de l'Etat* (trad. Bracke, A.-M. Desrousseaux), Alfred Costes, Paris, 1936.
ESCHYLE — *L'Orestie* (trad. Paul Mazon), Albert Fontemoing, 1903.
— *Œuvres*, tome I : « Agamemnon », « Les Choéphores », « Les Euménides » (texte établi et traduit par Paul Mazon), éd. Les Belles Lettres, 1953.

FONTANES, Marius — *Les Egyptes*, Paris, 1880.
FORDE, D. (voir RADCLIFFE-BROWN, A.-R...).
FRAZER, James George — *Atys et Osiris, étude de religions orientales comparées*, Librairie Orientaliste Paul Guthner, 1926.
FROBENIUS, Léo — *Histoire de la civilisation africaine* (trad. Dr H. Back et D. Ermont), Gallimard, Paris, 1933.
FURON, Raymond — *Manuel d'archéologie préhistorique*, Payot, Paris, 1943.
FUSTEL DE COULANGES, N. D. — *La Cité antique*, Hachette, Paris, 1930.

GARDINER, Alan — *Egyptian Grammar*, London, 1927.
GRENIER, Albert — *Les Religions étrusque et romaine*, coll. Mana, P. U. F., Paris, 1948.

HÉRODOTE — *Histoires*, livres II et IV (trad. Ph. E. Legrand), éd. Les Belles Lettres, Paris, 1945.
HOEFER, F. — *Chaldée, Babylonie*, coll. L'Univers, éd. Didot Frères, 1852.
HOMBURGER, Louise — *Les Langues négro-africaines et les peuples qui les parlent*, Payot, 1947.
HUBERT, Henri — *Les Celtes*, coll. L'Evolution de l'humanité, Albin Michel, Paris, 1950.

IBN BATTOUTA — *Voyage au Soudan* (trad. Slane).
IBN-HAOUKAL — *Les Routes et les Royaumes*.
IBN KHALDOUN — *Histoire des Berbères*.

LEENHARDT, Maurice — *La Personne mélanésienne*, Ecole des Hautes Etudes, section des Sciences religieuses, Annuaire 1941-1942, Imprimerie Administrative, Melun, 1942.
LEFEBVRE, Gustave — *Grammaire égyptienne*, Le Caire, 1953.
LENORMANT, François — *Histoire ancienne des Phéniciens*, Lévy, 1890.
Lois de Manou : Livre XI, « Pénitence et Expiation » (trad. Loiseleur), Deslongchamps, 1843.

MASSON-OURSEL, Paul — *La Philosophie en Orient*, fascicule supplémentaire à *l'Histoire de la philosophie*, par Emile Bréhier, Presses Universitaires, 1948.

Métais, Pierre — *Mariage et Equilibre social dans les sociétés primitives.*

Mofolo, Thomas — *Chaka, une épopée bantoue*, Gallimard, 1940.

Monod, G. (voir Bémont, Ch...).

Moret, A. — *L'Egypte et la Civilisation du Nil.*

Moret, A. et Davy, G. — *Des Clans aux Empires*, coll. L'Evolution de l'humanité, La Renaissance du Livre, 1923.

Morgan, Lewis M. — *Systems of Consanguinity and Affinity*, publié par *The Smithsonian Institution*, tome XVII, « Contribution to Knowledge », 1870 to 1871, City of Washington, 1871.

Nietzsche, Friedrich — *Naissance de la Tragédie ou Hellénisme et pessimisme* (trad. Jean Marnold et Jacques Morland), Mercure de France, 1947.

Piganiol, André — *Les Origines de Rome*, Librairie Fontemoing, Paris, 1916.

Radcliffe-Brown, A. R. et Forde, D. — *Systèmes familiaux et matrimoniaux en Afrique*, P. U. F., 1953.

Saint Augustin — *De Civitate Dei.*

Seligman, C. G. — *A Study in divine Kingship*, George Routledge and Sons, London, 1934.

Tacite — *Mœurs des Germains.*

Teilhard de Chardin, P. — *Le Phénomène humain*, Le Seuil, Paris, 1955.

Thucydide — *Guerre du Péloponnèse*, Livre I (trad. Bétant).
— *Histoire de la guerre du Péloponèse*, Livre I (trad. J. de Romilly), éd. Les Belles Lettres, Paris, 1953.

Tite-Live — *Histoire Romaine*, livre 34, « Discours de Caton pour le maintien de la loi Oppia contre le luxe des femmes ».

Turel, Adrien — *Du règne de la mère au patriarcat.*

Van Gennep, A. — *Mythes et Légendes d'Australie*, E. Guilmoto, Paris, s. d.

Vendryes, J. — *Les Religions des Cités, des Germains et des anciens Slaves*, coll. Mana, tome 3.

Wartburg, Walter von — *Problèmes et Méthodes de la Linguistique*, P. U. F., 1946.

Westermann, D. et Baumann, A. — *Peuples et Civilisations de l'Afrique* (trad. L. Homburger), Payot, 1941.

INDEX

206

TABLE DES MATIÈRES

Chapitre IV

ANOMALIES RELEVÉES DANS LES TROIS ZONES

Leur explication

Chapitre V

COMPARAISON DES AUTRES ASPECTS
DES CULTURES NORDIQUE
ET MÉRIDIONALE

Chapitre VI
LA COMPARAISON DE L'AFRIQUE NOIRE ACTUELLE ET DE L'ÉGYPTE ANTIQUE EST-ELLE HISTORIQUE

Chapitre VII
LES FAITS TROUBLANTS